NÃO
COMPRE
BITCOIN

Título original: *Não compre Bitcoin antes de ler este livro*
Copyright © 2022 by Yuri Palheiros
1ª edição: Agosto 2022
Direitos reservados desta edição: CDG Edições e Publicações
O conteúdo desta obra é de total responsabilidade do autor
e não reflete necessariamente a opinião da editora.

Autor:
Yuri Palheiros

Revisão:
Gabrieli Lima
Carla Sacrato

Capa:
Jonathan Rios

Diagramação:
Cris Spezzaferro

Arte-finalização:
Jéssica Wendy

DADOS INTERNACIONAIS DE CATALOGAÇÃO NA PUBLICAÇÃO (CIP)

Palheiros, Yuri
  Não compre Bitcoin antes de ler este livro / Yuri Palheiros.
— Porto Alegre : Citadel, 2022.
  288 p.

ISBN: 978-65-5047-176-7

1. Bitcoin 2. Investimentos I. Título

22-4348   332.178

Angélica Ilacqua – Bibliotecária – CRB-8/7057

Produção editorial e distribuição:

contato@citadel.com.br
www.citadeleditora.com.br

YURI PALHEIROS

NÃO COMPRE BITCOIN

ANTES DE LER ESTE LIVRO

2022

SUMÁRIO

PREFÁCIO 13

CAPÍTULO 1 | AS CRIPTOMOEDAS 17

    O que elas são? 19
    O que é blockchain? 20
    Pontos fortes e pontos fracos 20
    Volatilidade do mercado? 21
    Por que o mercado não é mais o futuro e sim o presente? 22
    Como abrir conta e fazer o seu primeiro depósito na corretora? 23
    Como transformar meu real em cripto? 24
    Veja como é fácil sacar ou transferir uma criptomoeda 25
    Qual a diferença entre criptomoedas e token? 27
    Por dentro da blockchain 28
    Redes de blockchain públicas 33
    Redes de blockchain privadas 33
    Redes autorizadas 34
    Consórcio 34

CAPÍTULO 2 | HISTÓRIA DO BITCOIN 37

    O que é esta moeda? 39
    A mineração 40
    O crescimento do Bitcoin 48
    Configurar sua conta de Bitcoin é simples 49
    A popularidade do Bitcoin 50
    Por que o Bitcoin entrou nos holofotes 51

A segurança do Bitcoin 53
Por que você deve investir em Bitcoin 55
As vantagens do Bitcoin 55

CAPÍTULO 3 | COMO FUNCIONA O BITCOIN 61

O processo de funcionamento 63
Como investir em criptomoedas? 63
E como comprá-las? 65
Valorização ou desvalorização 65

CAPÍTULO 4 | O MERCADO 69

O que é? 71
Qual o tamanho deste mercado? 71
O Bitcoin 72
A temporada das Altcoins 73

CAPÍTULO 5 | O PERFIL INVESTIDOR 77

Descubra os principais perfis 79
Como saber o seu perfil de investidor? 80
Investidor agressivo 80
Investidor conservador 81
Investidor moderado 82
Tornando-se um investidor de Bitcoin 82

CAPÍTULO 6 | TRADES 85

O que é day trade? 87
Como funciona? 87
Como operar? 88
O que é e como funciona o buy and hold? 90
O trading em Bitcoin 91

CAPÍTULO 7 | INVESTIMENTO X RISCO 93

Altos e baixos 95
Investimentos 95
Como funcionam os riscos? 96
Cuidados ao investir 97
Tome cuidado com o FOMO (Fear Of Missing Out) 99
Cuidado com movimentos de pump and dump 100
Monitore seus ativos 100
Foco no longo prazo 101
Não compre tudo de uma vez 101
Não invista o único dinheiro da sua vida 102
Não existe alta infinita 103
Invista por meio de plataformas conhecidas 103

CAPÍTULO 8 | TERMOS DO MUNDO CRIPTO 105

Entenda a linguagem 107
Endereço 107
Bit 107
Bitcoin 108
Block (bloco) 108
Blockchain 108
BTC 108
Confirmação 109
Criptografia 109
Double spend (gasto duplo) 109
Hash rate (taxa de hash) 110
Mineração 110
P2P 111
Private key (chave privada) 111
Assinatura 111
Wallet (carteira) 112

CAPÍTULO 9 | APLICATIVOS E SITES 115

Tradingview – site 117
Nomics.Com – site / app Android e iOS 117
Blockfolio – app Android e iOS 117
Cointelegraph Brasil – site / app Android e iOS 118
Vector, sistema de negociação da Vertex Technologies ... 118

CAPÍTULO 10 | VOCABULÁRIO CRIPTO 121

Palavras-chave 123
Os ativos digitais 123
A arbitragem 124
Assinatura múltipla (multi-sig) 125
Bull 126
Bear 126
As baleias 126
Bloco Gênesis 128
As criptomoedas 128
Day trader 129
As Altcoins 129
A blockchain 132
Halving 134

CAPÍTULO 11 | DINHEIRO X CRIPTO 139

Dinheiro impresso x dinheiro digital 141
Privacidade cripto 142
Estamos no meio de uma encruzilhada 142
Ameaçam a soberania monetária de qualquer país 144
O dinheiro hoje 145
A inflação 148
Os governos e as criptomoedas 149
O Bitcoin é imune à inflação? 154

As vantagens de uma sociedade sem inflação: um mundo 100% cripto 157

Bitcoins, emergindo da deep web para o mainstream 158

CAPÍTULO 12 | VISÃO FUTURA SOBRE O MERCADO 165

As criptomoedas e o futuro do dinheiro 167

O futuro das criptomoedas é perpétuo? 167

Volatilidade 170

A diversificação 172

O foco no longo prazo 173

Estimativas para o Bitcoin 174

O futuro do Bitcoin 174

As bolsas de valores 178

O futuro do sistema financeiro 185

O futuro dos investimentos 191

Educação financeira 198

A nova educação financeira 199

Competências da terceira fase da educação financeira 203

CAPÍTULO 13 | ANÁLISE TÉCNICA E GRÁFICA 205

O que é essa análise? 207

Dualidade entre análise técnica e fundamental 208

Os princípios da análise técnica 208

Origem da análise técnica 209

Ferramentas de análise técnica 211

Indicadores 212

Conjunto de desenho técnico 213

Análise técnica 213

A análise técnica é uma opção segura para a tomada de decisão em um mercado? 215

Use a volatilidade a seu favor 215

A importância da análise técnica 215

Os principais indicadores 216

A análise gráfica 218
Análise fundamentalista 220
Traduzindo um candle 221
O book de ofertas 225
Volume de negociação 227
Indicadores importantes 229
Média móvel exponencial 229
IFR (Índice de Força Relativa) 230
A ferramenta de análise gráfica Fibonacci 231

CAPÍTULO 14 | OS TERMOS TÉCNICOS 235

Conheça os termos mais utilizados do mundo cripto 237
As palavras mais usadas 237

CAPÍTULO 15 | O CRIPTONÁRIO 241

O que é? 243

CAPÍTULO 16 | OPERAÇÕES 259

As operações de Bitcoin e criptomoedas 261
Arbitragem cripto 264
Arbitragem triangular 270
Tempo de recebimento 273
Trade de Bitcoin 274
Quando vender e comprar Bitcoin 276
A nova legislação do estado no mundo cripto 278
Os impostos 280

CONCLUSÃO 285

PREFÁCIO

PREFACE

Para muitas pessoas o universo cripto é algo quase inexplorado e pouco conhecido, pelo fato de haver poucas informações sólidas, simples e transparentes sobre o assunto. Mas com a chegada deste livro eu tenho certeza de que isso vai mudar.

Atualmente, uma grande porcentagem da população brasileira não sabe o que é Bitcoin, por esse motivo eu quero ser conhecido como o cara que ensina essas pessoas a entrarem nesse mercado, que desmistifica e apresenta esse mundo de forma simples e descomplicada.

Meu objetivo não é ensinar você a ficar milionário, mas sim trazer o conhecimento necessário para você dar os primeiros passos, através de microrresultados.

Alguns termos podem parecer algo de outro planeta, mas da forma que esse assunto será abordado, você vai perceber que é algo mais fácil do que se pode imaginar. Todos os termos técnicos, como *BTC*, *trader*, *blockchain*, entre outros, ficarão simples e na ponta da língua ao finalizar a leitura deste livro.

Espero que esteja pronto para começar a desfrutar do conteúdo de ouro que está nesta obra, pois a partir de agora você vai saber tudo que precisa sobre o mundo das criptomoedas.

CAPÍTULO 1

AS CRIPTOMOEDAS

O QUE ELAS SÃO?

Provavelmente você já ouviu falar sobre Bitcoin ou outras moedas digitais e ficou se perguntando: o que é isso? Do que se trata? É tudo igual? Qual a diferença? É para comprar ou investir? Criptomoeda é o nome geral para moedas digitais descentralizadas, criadas em uma rede blockchain (traduzido do inglês como corrente de bloco) a partir de sistemas avançados de criptografia que tornam as transações mais seguras, além de proteger suas informações e os dados de quem realiza as transações.

NÃO ENTENDEU NADA? SEM PROBLEMAS, VAMOS EXPLICAR PONTO POR PONTO.

Criptomoedas são moedas digitais, que ao contrário do real, do dólar e das demais moedas físicas, só existem na internet. Logo, você sabe que elas são verdadeiras, mas não pode tocá-las – ou depositá-las na carteira, no cofre ou, ainda, guardar debaixo do colchão. Recebem o termo descentralizadas porque não são regidas por um órgão ou governo responsável que controla, intermedia e autoriza emissões de moedas, transferências e outras operações. Quem faz isso são os próprios usuários.

O QUE É BLOCKCHAIN?

Criada em uma rede, blockchain é a tecnologia que está por trás das criptomoedas e que nada mais é que um sistema que permite o envio e o recebimento de alguns tipos de informação pela internet. Podem ser definidas como pedaços de códigos gerados on-line que carregam informações conectadas, como blocos de dados que formam uma corrente – por isso o nome traduzido "corrente de blocos". Em sistemas de criptografia, é essa camada de segurança permitida e assegurada pelo blockchain que permite a emissão e a movimentação de moedas virtuais de forma mais segura – quando feita de forma correta. É dessa tecnologia que advém o nome criptomoeda – moeda criptografada.

PONTOS FORTES E PONTOS FRACOS

Um dos pontos fortes das criptomoedas é a criptografia: uma camada de segurança on-line que dificulta qualquer tipo de fraude. De forma simples, criptografia é uma maneira de misturar uma informação para que somente quem tem acesso ao código – chamado ainda de "chave" – consiga decifrá-la. O risco que se tem – inclusive já ocorrente – é as carteiras digitais ou corretoras de Bitcoin serem roubadas. Em 2019, uma das maiores corretoras de criptomoedas do mundo comunicou que hackers haviam roubado US$ 40,7 milhões em Bitcoins através de técnicas como phishing (técnica de crime cibernético) e vírus. A falta de regulamentação das moedas digitais também pode ser uma preocupação – e o próprio Banco Central do Brasil avisa sobre os riscos. Ataque de hackers, erros de servidor e perda da assinatura virtual são algumas das ameaças que podem acarretar a perda de todas as criptomoedas — e, logicamente, de um alto valor financeiro.

VOLATILIDADE DO MERCADO?

Assim como as demais moedas, o Bitcoin passa por variações diárias e segue a lei da oferta e da procura: quanto mais pessoas querendo, mais caro fica – e vice-versa. Com isso, apresenta uma oscilação muito grande. Em dezembro de 2017, um Bitcoin valia USD 19 mil (50 mil reais). Pouco mais de um ano depois, em março de 2019, o valor teve uma queda para USD 8 mil (23 mil reais) – desvalorização de quase 75%. Um dos motivos é que a quantidade de Bitcoins disponíveis é limitada: podem ser emitidas no máximo 21 milhões de moedas – até 2019, estima-se que 18 milhões já haviam sido emitidas. Outro motivo é que, assim como o mercado de ações, o de Bitcoins também opera a partir da especulação. Se as pessoas percebem, leem em algum lugar ou ouvem que o investimento não é seguro (em função de um roubo, por exemplo), elas vendem suas moedas e o preço sofre queda. As moedas podem valorizar ou desvalorizar, vai depender do tempo e da própria estratégia da pessoa: pode ter uma desvalorização no curto prazo, porém, tem um foco no longo; ou pode ser ao contrário: alta rentabilidade no curto, porém, não tem interesse em manter a moeda durante um longo período de tempo. Dessa forma, o Bitcoin está acima das transações comuns diárias e assim como outras criptomoedas passou a ser visto como uma forma de investimento. Hoje, o volume negociado em Bitcoins passa de 25 bilhões de dólares por dia, isso mostra o quão volátil é este mercado.

POR QUE O MERCADO NÃO É MAIS O FUTURO E SIM O PRESENTE?

Hoje em dia, a não ser que você seja um investidor ou entusiasta das criptomoedas, a verdade é, que elas impactam pouco a vida da população em geral. Durante anos, o mercado olhou para o Bitcoin como uma nova moeda de transação. No Brasil, imobiliárias disseram que aceitariam a moeda digital como forma de pagamento. Lentamente, no entanto, as criptomoedas passaram a ser cada vez mais vistas como um ativo financeiro – hoje em dia, pouco se fala em usar Bitcoin para pagar algum produto, por exemplo. Em todo caso, muita gente discute o papel das criptomoedas no futuro. Alguns dizem que essa vai ser a principal forma de transação, mas ainda não se pode afirmar. Se você acompanha o mercado financeiro, já deve ter lido ou escutado sobre a ascensão da criptomoeda. O Bitcoin, por exemplo, ultrapassou os 360 mil reais diante da valorização do dólar em 2021.

Muitos consideram a criptomoeda como uma onda passageira, mas dados mostram que ela pode ter chegado para ficar. Veja um exemplo: o Bitcoin, hoje, é a criptomoeda mais popular do mundo e tem quebrado recordes nas cotações.

COMO ABRIR CONTA E FAZER O SEU PRIMEIRO DEPÓSITO NA CORRETORA?

Crie uma conta gratuitamente e diga o valor em reais ou a quantidade de moedas virtuais desejada para comprar ou vender. O cliente pode realizar operações moeda fiat (dinheiro real) e moedas digitais, chamado de Negociação Real-Cripto e também pode negociar entre criptomoedas – Negociação Cripto-Cripto. O usuário pode solicitar o saque para suas carteiras digitais, no caso de criptomoedas, ou para sua conta corrente, no caso de saques em real.

Eu indico a corretora Binance, a maior corretora de criptomoedas do mercado. Para mais informações entre no site BINANCE.com. Lá, você vai fazer um cadastro para criar a sua conta GRATUITA. Basta informar seu celular ou e-mail que eles irão fazer os processos de segurança para a abertura da conta. Este processo é rápido: basta enviar os arquivos e fotos solicitadas para que eles façam a avaliação.

COMO TRANSFORMAR MEU REAL EM CRIPTO?

Primeiramente, imagine que você tem uma carteira virtual e ela só permite que sejam guardadas moedas digitais, como por exemplo os Bitcoins, Ethereum ou Ripple. Para ter uma dessas moedas, você tem que trabalhar, resolver o problema e enviar a solução à blockchain. Se estiver certo, o usuário ganha unidades de criptomoedas pelo esforço. A esse trabalho dá-se o nome de mineração e esses usuários são conhecidos como mineradores. Com as minhas dicas tudo ficará mais fácil, então veja: logo após a BINANCE verificar sua conta, você estará liberado para fazer as compras. A plataforma é bem informativa e intuitiva, o que facilita no processo.

- Para depositar você deve ir na aba principal e clicar em "Compre Cripto"

- Selecione a opção "Depositar"

- O depósito é feito em real e pode ser feito através de PIX ou de transferência de qualquer banco, com o valor mínimo de R$10,00

- A maneira que eu considero mais assertiva é a do PIX e através do QR Code gerado automaticamente pela

BINANCE. Ele irá cair em BRL (Brazilian Real), a moeda atual brasileira.

🐘 Verifique seu saldo na aba principal, clicando em "Carteira", ele vai te mostrar diversas moedas e seu saldo em cada uma delas

IMPORTANTE:
As contas devem obrigatoriamente estar registradas no mesmo CPF, tanto para fazer o depósito quanto para fazer o saque. O dinheiro irá cair em sua conta em algumas horas.

VEJA COMO É FÁCIL SACAR OU TRANSFERIR UMA CRIPTOMOEDA

Com um Bitcoin, você pode enviar ou receber qualquer valor instantaneamente de qualquer lugar. Segundo o site Bitcoin.org, os pagamentos com Bitcoin podem ser feitos sem ligar informações pessoais do usuário à transação e isso protege sua identidade. Outro ponto positivo é que o usuário pode proteger o dinheiro com cópias de segurança e criptografia. Tenha em mente que logo após a compra das moedas, elas podem valorizar ou desvalorizar.

Meu objetivo é mostrar que através de trades você consegue desenvolver a sua área financeira até um patamar inimaginável. Depois da sua movimentação, da valorização de suas criptomoedas, basta fazer a conversão para BRL e depositar em sua conta no banco.

IMPORTANTE:
A conta para onde irão seus valores tem que obrigatoriamente ser do mesmo CPF que a do titular da conta.

- Acesse o App e insira seu CPF e senha de acesso

- No menu principal, clique em "Cripto"

- Selecione a criptomoeda desejada (por exemplo, BTC)

- Selecione a opção "Sacar"

- Selecione "realizar novo saque"

- Na tela de saque, digite na "Carteira de destino" o endereço da carteira que você quer enviar, e no campo "Valor líquido" insira quantos Bitcoins serão enviados para esta carteira. Selecione continuar

- Insira sua senha de 4 dígitos

- Neste momento será enviado um e-mail para que você confirme. Atenção: essa operação é irreversível

- Em seu e-mail, selecione e confirme a solicitação de saque

- Agora é só aguardar, seu dinheiro será enviado

O procedimento de saque é simples também, você seguirá os seguintes passos:

- Selecione "sacar" na opção "sua conta"

- Escolha a moeda que deseja sacar

- Siga as instruções apresentadas para a respectiva moeda

QUAL A DIFERENÇA ENTRE CRIPTOMOEDAS E TOKEN?

As criptomoedas funcionam como moedas fiduciárias, podem ser usadas na troca por produtos e/ou serviços, como reserva de valor, além de serem também uma ótima opção para compor uma carteira de investimentos. Foram criadas com o intuito de revolucionar o nosso sistema financeiro, descentralizando os serviços e produtos e oferecendo uma maneira segura de realizar transações, eliminando diversos intermediários do sistema. Basicamente, economizam tempo, recursos e otimizam processos financeiros.

> ALERTA:
> Infelizmente "Token" no Brasil se remete a golpe.

Os tokens possuem funcionalidades essenciais, mas não foram desenvolvidos com o mesmo intuito das criptos, mas sim de complementá-lo. São desenvolvidos dentro de blockchains, tendo como funcionalidade manter as redes funcionando, para ativar recursos específicos dentro dos aplicativos ou para representar digitalmente algo físico de valor.

POR DENTRO DA BLOCKCHAIN

Se conhecermos um pouco sobre o que é essa tecnologia, saberemos por que ela é tão importante no mundo cripto. E agora você vai saber tudo sobre ela e por que ela é tão revolucionária.

A blockchain é um livro-razão compartilhado e imutável que facilita o processo de registro de transações e o rastreamento de ativos em uma rede empresarial. Um ativo pode ser tangível (uma casa, um carro, dinheiro ou, terras) ou intangível (propriedade intelectual, patentes, direitos autorais ou criação de marcas). Praticamente qualquer item de valor pode ser rastreado e negociado em uma rede de blockchain, o que reduz os riscos e os custos para todos os envolvidos.

As empresas dependem de informações, quanto mais precisas e rápidas de receber elas forem, melhor. A blockchain é ideal para entregar essas informações, pois ela fornece informações imediatas, compartilhadas e completamente transparentes armazenadas em um livro-razão imutável que pode ser acessado apenas por membros da rede autorizada. Uma rede blockchain pode acompanhar pedidos, pagamentos, contas, produção e muito mais. Como os membros compartilham uma visualização única dos fatos, é possível ver todos os detalhes de uma transação de ponta a ponta, o que oferece maior confiança, eficiência e novas oportunidades.

Confira os principais elementos da Blockchain:

- **Tecnologia de livro-razão distribuído:** todos os participantes da rede têm acesso ao livro-razão distribuído e ao seu registro imutável de transações. Com esse livro-razão compartilhado, as transações são registradas somente uma vez, eliminando atividades duplicadas que são típicas em redes empresariais tradicionais.

- **Registros imutáveis:** nenhum participante pode alterar ou corromper uma transação depois de seu registro no livro-razão ser compartilhado. Se um registro de transação incluir um erro, uma nova transação deverá ser incluída para reverter esse erro e ambas as transações serão visíveis.

- **Contratos inteligentes:** para acelerar as transações, um conjunto de regras, chamado de contrato inteligente, é armazenado na blockchain e é executado automaticamente. Um contrato inteligente pode definir condições para transferências de seguro-garantia corporativo, incluir termos para o pagamento do seguro de viagem e muito mais.

As vantagens da Blockchain são simples: as operações frequentemente desperdiçam esforços na manutenção de registros duplicados e nas validações de terceiros. Os sistemas de manutenção de registros podem ser vulneráveis a fraudes e ataques cibernéticos. Uma transparência limitada pode atrasar a verificação de dados. E com a chegada da IOTA (uma criptomoeda de controle descentralizado. Enquanto moedas comuns são administradas por bancos e por instituições financeiras, as criptomoedas permitem que dados e transações sejam validados de forma distribuída), os volumes de transações aumentaram muito. Tudo isso atrasa os negócios e afeta os resultados, o que significa que precisamos de uma solução melhor. Comece a usar a blockchain.

Confira algumas vantagens:

- **Maior confiança:** Com a blockchain, enquanto membro de uma rede, você pode ficar tranquilo com a garantia de estar recebendo dados corretos e pontuais, e que seus registros confidenciais da blockchain serão compartilhados apenas com membros da rede a quem você concedeu acesso específico.

- **Maior segurança:** O consenso sobre a precisão dos dados é exigido de todos os membros da rede e todas as transações realizadas são imutáveis, pois são registradas permanentemente. Ninguém, nem mesmo um administrador de sistema, pode excluir uma transação.

- **Mais eficiência:** Com um livro-razão distribuído, compartilhado entre os membros de uma rede, as reconciliações de registro que desperdiçam tempo são eliminadas. Para acelerar as transações, um conjunto de regras chamado de contrato inteligente, é armazenado na blockchain e é executado automaticamente.

O funcionamento da blockchain pode parecer um bicho de sete cabeças mas não é, saiba os principais fundamentos dela em apenas três processos simples:

- Cada transação é registrada como um "bloco" de dados, após sua ocorrência. Essas transações mostram o movimento de um ativo que pode ser tangível (um produto) ou intangível (intelectual). O bloco de dados pode registrar as informações de sua escolha: quem, o quê, quando, onde, quanto e até mesmo a condição – como a temperatura de um carregamento de alimentos.

- Cada bloco está conectado aos anteriores e posteriores. Enquanto um ativo migra de um lugar para outro ou a propriedade muda, esses blocos formam uma cadeia de dados. Os blocos confirmam a hora exata e a sequência das transações e se ligam de forma segura para evitar que qualquer um deles seja mudado ou inserido entre dois outros existentes.

- As transações são bloqueadas em conjunto em uma cadeia irreversível: a blockchain. Cada bloco adicional fortalece a verificação do anterior e, portanto, de toda a cadeia. Isso torna inviolável, entregando o aspecto principal da imutabilidade. Isso elimina a possibilidade de adulteração por parte de um indivíduo mal-intencionado, construindo um livro-razão de transações em que você e os outros membros da rede podem confiar.

Como agora você sabe tudo sobre blockchain, vou apresentar seus tipos, pois há diversas maneiras de desenvolver uma rede: elas podem ser públicas, privadas, autorizadas ou desenvolvidas por consórcio.

REDES DE BLOCKCHAIN PÚBLICAS

Um blockchain público é aquele do qual qualquer um pode participar, como o Bitcoin. Os pontos negativos podem incluir a substancial energia computacional necessária, pouca ou nenhuma privacidade para as transações e segurança fraca. Estas são considerações importantes para casos de uso corporativos da blockchain.

REDES DE BLOCKCHAIN PRIVADAS

Uma rede privada de blockchain, semelhante a uma rede pública de blockchain, é uma rede *peer-to-peer* descentralizada. No entanto, uma organização administra a rede, controlando quem tem permissão para participar, executar um protocolo de consenso e manter o livro-razão compartilhado. Dependendo do caso de uso, isso pode impulsionar significativamente a confiança entre os participantes. Uma blockchain privada pode ser executada por trás de um firewall corporativo e até mesmo ser hospedada *on-premises*.

REDES AUTORIZADAS

As empresas que montam uma blockchain privada configuram, em geral, uma rede de blockchain autorizada. É importante notar que as redes de blockchain públicas também podem ser autorizadas. Isso impõe restrições a quem tem permissão para participar da rede e em determinadas transações. Os participantes precisam obter um convite ou permissão para aderir.

CONSÓRCIO

Diversas empresas podem compartilhar as responsabilidades de manter um blockchain. Essas empresas pré-selecionadas determinam quem pode enviar transações ou acessar os dados. Um blockchain de consórcio é ideal para as empresas quando todos os participantes precisam ser autorizados e ter responsabilidade compartilhada com relação à blockchain.

CAPÍTULO 2

HISTÓRIA DO BITCOIN

O QUE É ESTA MOEDA?

O Bitcoin (BTC) é um tipo de moeda virtual também chamado de criptomoeda. É como se fosse uma espécie de dinheiro da internet, mas que não apresenta um sistema centralizado de controle sobre as suas trocas comerciais, tais como um Banco Central, ao contrário do que acontece com as moedas do "mundo real".

É um tipo de moeda produzido e armazenado eletronicamente. Os Bitcoins não são impressos em papel-moeda como dólares, ienes, euros e libras. Os Bitcoins estão, cada vez mais, sendo preparados por pessoas, negócios e empresas que operam PCs em todo o mundo, através de um programa especial destinado a resolver problemas matemáticos. As transações de Bitcoin são realizadas de pessoa para pessoa, sem a presença de terceiros, o que ocorre no sistema bancário centralizado convencional. Em outras palavras, elas são realizadas em um sistema descentralizado, sem que haja governo, órgão regulador, empresa ou indivíduo fazendo seu controle. Dessa forma, todas as transações são *peer-to-peer*, realizadas de forma totalmente transparente. A tecnologia por trás disso é denominada blockchain e está rapidamente tendo boa aceitação em todo o mundo.

A MINERAÇÃO

A mineração de Bitcoin é difícil e, atualmente, sua demanda é muito alta, fazendo com que sua taxa de câmbio aumente rapidamente. É uma moeda que existe há mais de uma década adquirindo mais relevância do que as moedas fiduciárias impressas. Isso é decorrência do valor que tem gerado em tão pouco tempo de existência. Bitcoin utiliza o acrônimo BTC como unidade monetária. Bitcoin e outras moedas virtuais como Ethereum e The-Billion-Coin também entram na categoria monetária conhecida como criptomoedas. Elas também são baseadas em provas matemáticas. A mineração serve não apenas para validar a rede de criptomoedas e mantê-la à prova de fraudes, mas também para colocar no mercado novas unidades de Bitcoins e outras criptos.

Trata-se de uma atividade bastante lucrativa. Ainda mais no atual momento de euforia pelo qual passa o mercado de criptomoedas. Apenas no mês de março, os especialistas em mineração chegaram a arrecadar US$ 1,5 bilhão, de acordo com o The Block Research – fonte de pesquisa especializada no mundo cripto e Bitcoins.

Tanto dinheiro – real e virtual – circulando levou à escassez de microchips usados nas máquinas de mineração, o que chegou a ser um princípio de ameaça para a rede da criptomoeda.

Tantos computadores ligados ao mesmo tempo demandam um enorme consumo de energia, o que despertou críticas sobre o impacto ambiental da atividade, inclusive de nomes como o do bilionário Bill Gates, fundador da Microsoft.

Mas, de uma maneira simplificada, a mineração nada mais é do que a resolução de um problema. Imagine toda uma rede de pessoas e computadores trabalhando para resolver uma equação, como por exemplo x−2 = 0. O primeiro a chegar à solução "x = 2" recebe a recompensa pelo trabalho.

A mineração é responsável por manter de pé toda a blockchain, a rede de blocos até hoje inviolável e que traz todo o histórico de transações com a criptomoeda.

Ao confirmar o próximo bloco da cadeia, o minerador faz o papel que hoje é feito por um banco, ao checar se existem Bitcoins suficientes em uma conta e se a outra pode receber aquela quantidade. Para fazer esse trabalho, o minerador é remunerado em Bitcoins.

Atualmente, esse "salário" equivale a algumas frações de Bitcoin, mais as taxas de transações da rede. Simples, não? Nada disso.

A mineração de Bitcoin funciona através de um protocolo SHA- 256 de tipo 'proof-of-work' (prova de trabalho). Como a solução desse problema é totalmente aleatória, os mineradores basicamente fazem trilhões e trilhões de tentativas e erros para conseguir minerar e validar os blocos.

Ainda está complicado entender o que faz o minerador? Então nada melhor do que fazer uma alusão à atividade de extração de metais preciosos, como o ouro.

A "Serra Pelada" dos mineradores de Bitcoins é a blockchain, a rede que valida as transações da criptomoeda. No lugar de uma picareta, eles usam potentes computadores capazes de resolver inúmeras equações por segundo.

Por tentativa e erro, assim como um mineiro de ouro que escolhe um espaço para começar a cavar, é possível (ou não) ser você a pessoa que irá achar a solução para este problema.

Se você for o mineiro sortudo a encontrar a solução, a própria rede da blockchain te recompensa com o ouro (digital). É como encontrar uma caixa com as taxas de transação da rede (que podem variar de bloco para bloco).

Assim, ao validar aquelas informações, o mineiro adiciona um bloco na blockchain e recebe sua recompensa. Os demais mineiros não podem encontrar a solução para aquele bloco e vão para o próximo tentar encontrar mais ouro, e assim o ciclo se repete.

A resolução dos blocos, hoje, é feita em aproximadamente dez minutos, ou instantaneamente dependendo da rede ou carteira que você utiliza. Algumas transações precisam de mais um minerador para validar e a rede precisa processar diversos pedidos e validações ao mesmo tempo.

O exemplo de $x = 2$, que dei mais acima, é uma resolução de um problema fácil e que não demanda nem calculadora para resolver.

Mas chegar à solução de algumas das equações de Navier-Stokes, consideradas das mais difíceis do mundo, pode exigir mais tempo. Para isso, é preciso um computador com grande poder de processamento, chamado de poder computacional ou hash.

Entre a equação x = 2 e uma Navier-Stokes, o sistema da blockchain ajusta a dificuldade para os blocos não serem resolvidos tão rapidamente e garantir a segurança da rede. O que nos leva a um ponto importante: é praticamente impossível hackear a rede do Bitcoin. Ficou interessado em se lançar como minerador na Serra da Blockchain? Antes de mais nada, é preciso explicar um pouco o que é poder computacional e hashrate de mineração.

O poder de processamento de um computador é referente à quantidade de problemas que ele consegue resolver por segundo. Essa divisão do poder computacional por tempo é chamada de hashrate, ou taxa de mineração.

Ela pode ser medida em bytes por segundo, mas os CPUs usados para mineração têm um hashrate de alguns terabytes por segundo (T/s). São trilhões de hashes por segundo, o equivalente a trilhões de tentativas e erros por segundo para encontrar a solução da blockchain.

Quanto maior o hashrate, ou seja, quanto mais pessoas buscando solucionar o problema do bloco, maior a segurança da blockchain e, consequentemente, mais o minerador pode ganhar com as taxas de transação. Para ter uma maior chance de sucesso, os mineradores se reúnem em grupos, chamados pools de mineração.

Embora fazer a mineração de criptomoedas em casa não seja impossível, você vai enfrentar uma concorrência que torna a atividade praticamente inviável.

Seria o mesmo que você, com uma picareta, tentar tirar uma pepita de ouro de Serra Pelada e uma outra pessoa, com um trator, fazer o mesmo. Você e sua potente picareta podem não conseguir competir com um trator. Agora, se você se reunir com outros escavadores, alguns com britadeiras, outros com caminhões, outros com tratores, a coisa muda de figura.

A principal fabricante de computadores específicos para mineração, com um hashrate de vários terabytes por segundo, é a Bitmain. Os processadores podem chegar a custar até 8.300 dólares e, sozinho, você precisaria de alguns deles para ter uma chance de achar Bitcoins.

Os pools de mineração são grupos de mineradores que se reúnem, com potentes computadores, para solucionar o bloco da blockchain. Assim, as chances de encontrar a solução do bloco sobem e é feita a divisão por computador e capacidade de processamento (hashrate) de minerador.

Esses pools geralmente estão concentrados em países com duas características principais: clima frio e energia barata. Isso significa que se você ainda tem o desejo de se dedicar a essa atividade, provavelmente terá de mudar de país.

A energia precisa ser barata porque a rede do Bitcoin é mantida ativa 24 horas por dia e os mineradores não param por todo esse tempo. Já os locais frios servem para manter as máquinas resfriadas sem muito esforço de um ar-condicionado superpotente.

Os computadores conseguem atingir 80 °C quando estão ligados, o que pode comprometer a integridade de alguns componentes. A temperatura ideal para ficarem ligados é entre 35 °C a 40 °C, o que exige muito esforço do ar-condicionado para manter essa temperatura e, consequentemente, um gasto maior de energia.

Mas locais como Paraguai, onde a energia é muito barata, conseguem manter pools de mineração. Os principais pools estão localizados na China e Rússia, mas também existem "fazendas" de mineração espalhadas por praticamente todo o mundo.

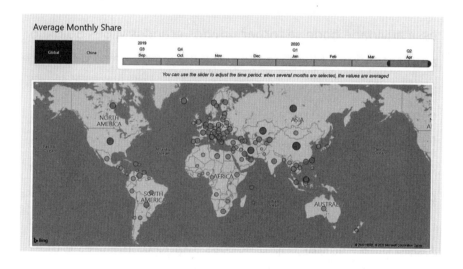

O mapa acima mostra onde estão localizados os principais pools de mineração. De acordo com o banco de dados da Cambridge Bitcoin Electricity Consumption Index – empresa que fornece uma estimativa em tempo real do consumo total de eletricidade da rede Bitcoin –, um dos problemas da criptomoeda é que, para manter a rede ativa, é necessária uma quantidade imensa de energia elétrica. Estudos da Cambridge Bitcoin Electricity Consumption Index informam que toda a rede do Bitcoin consome mais energia por ano do que a Argentina inteira.

O real problema não está só no consumo, mas na fonte de energia elétrica usada pelos mineradores. Na China, por exemplo, a principal matéria-prima para geração é o carvão, responsável por quase um quarto da energia produzida no país, o que coloca o gigante asiático como responsável por 11% do dióxido de carbono (CO_2) do planeta.

Com o aumento da procura por mineração de criptomoedas, essa atividade pode se tornar um dos grandes vilões do meio ambiente, como foi apontado por Bill Gates.

Vale lembrar que geralmente 10% de tudo que se ganha com mineração vai para pagar a conta de luz. Se você alcança R$ 4 mil ou R$ 4.500 por mês, a conta de luz vem R$ 400 ou R$ 450. Mas, enquanto estiver valendo a pena minerar, não tem problema, os custos fazem parte do processo.

Levando em conta tudo isso, você pode se juntar a um grupo para minerar criptomoedas. Como os maiores e mais bem-sucedidos pools estão localizados na China, alguns deles estão em mandarim, mas boa parte está em inglês.

Em primeiro lugar, você precisa baixar os softwares de mineração. Os mais famosos são CGminer e o BFGminer, mas existem outros menores, disponíveis na plataforma dos próprios sites desses softwares ou no GitHub, principal rede social para programadores.

O protagonismo da mineração é medido pelo hashrate do pool, e abaixo você confere os cinco maiores:

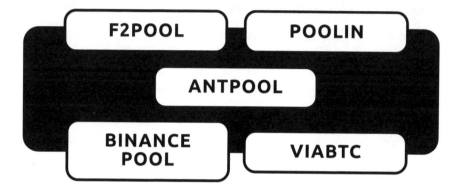

Não é preciso cadastro para entrar em um pool de mineração. Conforme o pool vai achando as soluções dos problemas do bloco, o minerador recebe a recompensa proporcional a sua porcentagem de poder computacional oferecido no pool.

E caso você tenha ficado frustrado por não ser possível minerar Bitcoins em casa, aqui vai um alento: você pode minerar outras moedas. A procura por outras criptomoedas pode ser menor e a dificuldade de resolução dos blocos delas tendem a ser mais fácil.

Assim, com um computador doméstico é possível fazer o processo de mineração, apesar de ser menos atrativo que o Bitcoin.

O CRESCIMENTO DO BITCOIN

O mundo tem presenciado um enorme crescimento em praticamente todas as esferas da vida. Os responsáveis por esses avanços são grandes intelectuais, que buscam solucionar problemas de ordem prática. Uma invenção notável é a recente introdução de moedas digitais globais que usam um sistema de registros públicos para pagamentos, investimentos e outras formas de transações. Essas transações agora estão sendo realizadas com facilidade e sem quaisquer restrições. É uma transição revolucionária que teve início com a passagem da moeda metálica para o papel-moeda e, atualmente, estamos testemunhando o domínio das moedas digitais. Tais moedas digitais incluem: Bitcoin, Ethereum, Litecoin, entre outras, que são categoricamente denominadas criptomoedas.

O Bitcoin é o pioneiro no universo das moedas digitais, uma vez que se tornou amplamente aceito por pessoas de todos os tipos em todo o mundo. Líderes das maiores economias mundiais estão começando a ver o enorme potencial existente no poder dos Bitcoins. Embora eles tenham receio de que as criptomoedas descentralizadas possam resultar em atividades subvertidas com transações não rastreáveis, eles também constataram que sua utilização apresenta um risco mínimo.

Bitcoin pode ser emitido em unidades fracionárias que são denominadas Bits e Satoshi. Um bit representa a unidade comum usada para designar uma subunidade de um Bitcoin. 1000000 bits equivalem a um Bitcoin.

Se você é novo no mundo das criptomoedas, pode configurar sua conta de Bitcoin e efetuar sua primeira compra. É possível também obtê-lo através de serviços prestados, venda de produtos e individual cloud mining (mineração individual na nuvem), além de pools de mineração em larga escala, que exigem hardware sofisticado.

CONFIGURAR SUA CONTA DE BITCOIN É SIMPLES

Alguns dos sites que oferecem este serviço são: blockchain.info, coinbase e Xapo. Basta visitar esses sites, preencher as informações necessárias e criar um endereço específico para essa carteira. Este domínio será exigido em todas as transações feitas online. Há também carteiras offline, chamadas de cold wallets. Uma cold wallet é relativamente mais segura para armazenar seu Bitcoin. No entanto, é necessário que o computador seja altamente protegido contra vírus e contra invasores que possam hackear suas criptomoedas. Ao comprar ou receber seu Bitcoin, você pode investir ou simplesmente armazená-lo em sua carteira.

Fique de olho nas tendências de mercado e venda seu Bitcoin em troca de moeda fiat (fiduciária) de sua escolha para obter lucro. Se tudo isso ainda está um pouco confuso, não se preocupe.

Continue lendo e nós acompanharemos você em cada etapa do processo.

A POPULARIDADE DO BITCOIN

Após o turbulento início de 2017, houve um aumento crescente no mercado global de criptomoedas e o mercado atingiu seu auge no início de fevereiro. Este crescimento provocou um grande otimismo quanto ao futuro do Bitcoin. Essa ascensão desbancou os principais líderes de mercado, como S&P, DOW etc., dando ao Bitcoin uma popularidade inusitada. Houve também aumento no uso e no valor do Bitcoin.

Especialistas acreditam que isso ocorreu devido aos seguintes motivos:

- O Bitcoin é considerado seguro e estimável, o que ajudou a aumentar seu valor.

- O risco de fraudes foi drasticamente reduzido com a utilização do Bitcoin como método de pagamento, ao contrário dos pagamentos feitos através de cartões de crédito e débito. Algumas regiões do mundo onde a regulamentação sem IVA vigora, como a Europa, também ajudaram a aumentar sua popularidade.

- Outro motivo significativo é a sua crescente aceitação em todo o mundo para pagamento de bens e serviços pela web.

- As criptomoedas estão rapidamente tomando o lugar de outros métodos de pagamento online como PayPal, cartões de crédito e débito que têm restrições de uso. Alguns países não estão sequer autorizados a usar esses meios de transações online.

Com essa grande popularidade dos Bitcoins em todo o mundo, o futuro certamente parece promissor para as moedas digitais.

Mais pessoas, empresas e agências estão começando a se interessar por esse tipo de moeda.

POR QUE O BITCOIN ENTROU NOS HOLOFOTES

No acumulado de 2021, o Bitcoin já acumulava valorização de 146,5% em reais, segundo dados do Broadcast. De acordo com Milanello, um dos fatores que têm impulsionado o Bitcoin é a entrada dos investidores institucionais, que modificam muito o cenário de criptomoedas.

Na visão do executivo, os investidores institucionais podem ser divididos em duas categorias: os financeiros e os não-financeiros. "Os financeiros já estão nesse mundo cripto há algum tempo, desde 2017, quando a bolsa de Chicago lançou os derivativos de criptomoedas", diz Milanello.

Já os não-financeiros são as empresas como a Tesla, que comprou grandes quantias de Bitcoin e passou a aceitar o pagamento com a moeda. Além da fabricante de veículos elétricos, o executivo cita a Microstrategy Inc., que reverteu todo o caixa em Bitcoin em agosto de 2020.

Outro ponto interessante é que, ao contrário das moedas fiduciárias, como euro e dólar, que podem ser impressas quando necessário, o Bitcoin possui um número finito.

> "Sabe-se, matematicamente, que naquele ano haverá 21 milhões de Bitcoins em circulação".

Como seu fornecimento é limitado, a entrada de grandes players acaba tirando os Bitcoins de circulação e contribuindo para o aumento do seu preço. "É inevitável, porque é uma questão de oferta e demanda", diz Milanello.

Para saber quais empresas estão guardando Bitcoins, ele sugere o site Bitcointreasuries.org, que elenca as principais empresas listadas que investem na criptomoeda. Segundo o site, 6,76% de todos os Bitcoins minerados até agora estão na mão dessas empresas, o equivalente a 1,4 milhão da moeda.

A SEGURANÇA DO BITCOIN

Existem basicamente dois tipos gerais de carteiras para armazenar seus Bitcoins e outras criptomoedas de forma segura.

Existem as cold wallets e as hot wallets, e neste capítulo, você descobrirá os prós e contras de cada tipo de carteira.

HOT WALLETS

Hot wallets são assim denominadas porque estão conectadas à internet, o que de forma geral significa que é mais fácil para hackers invadirem e roubarem as valiosas moedas.

Exemplos de hot wallets incluem as carteiras gratuitas oferecidas no site de troca de Bitcoin de sua preferência, como Coinbase Binance ou Kraken, e carteiras de aplicativos de celulares.

As carteiras desktop são outro tipo de hot wallet, principalmente se forem instaladas em um sistema conectado à internet. No entanto, você tem controle sobre suas chaves privadas e pode criptografar sua carteira para evitar tentativas de invasão. A única desvantagem das carteiras desktop é que, se o computador for danificado ou roubado, você pode se despedir de seus Bitcoins. Tem havido muitos casos de roubo em hot wallets.

Resumindo, as hot wallets são ótimas para armazenar pequenas quantias e efetuar transações rápidas, mas se você tiver um número considerável de Bitcoins, é melhor transferi-los para o armazenamento offline ou para as cold wallets.

COLD WALLETS

É o método preferido de armazenamento de pessoas com um número significativo de Bitcoins.

Exemplos de cold wallets incluem paper wallets (carteiras de papel) e carteiras de hardware.

Paper wallets podem parecer um pouco estranhas no início, já que estamos falando de armazenamento de moedas digitais, mas é exatamente por isso que é um dos melhores tipos de carteira para armazenamento a longo prazo, pois não existem meios de serem hackeados.

A desvantagem é que elas podem ser roubadas, queimadas ou danificadas. Para manter sua paper wallet em segurança, é recomendável colocá-la em um ambiente seguro, como um cofre, por exemplo. O segundo tipo de cold wallet é a carteira de hardware. É um dispositivo físico offline, como se fosse um USB especial, que pode ser plugado em seu computador quando você precisa fazer uma transação.

Existem três marcas principais que são muito populares entre os proprietários de criptomoedas. São elas: Trezor, Ledger Nano e KeepKey. As três não são baratas, mas certamente ajudarão a manter sua arca do tesouro virtual segura.

POR QUE VOCÊ DEVE INVESTIR EM BITCOIN

Não é nenhuma novidade que aqueles que investiram cedo em Bitcoin estão sendo recompensados com os valores que acumularam. Estima-se que entre os anos de 2011 e 2012, o valor do Bitcoin tenha aumentado em 300%. Já entre agosto de 2013 e novembro de 2014, aumentou acima de 400%. Mesmo que recentemente tenha caído para cerca de 34%, investidores e empresas de capital de risco continuam a ver a necessidade de apostar na criptomoeda.

A maneira mais simples de investir em Bitcoin é comprando-o. Comprar Bitcoin no mundo todo é simples. No Brasil, por exemplo, os locais mais populares para comprar e vender Bitcoin são Banence e Mercado Bitcoin. Algumas dessas exchanges possuem vínculos com certas contas bancárias locais, permitindo que as transações sejam realizadas facilmente. Há também sites locais que conectam compradores e vendedores a fim de proporcionar um bom negócio offline. Através deles, você pode ter certeza de que o lucro que você terá após o investimento de um ano em Bitcoin será excelente.

AS VANTAGENS DO BITCOIN

Quando passamos a conhecer o Bitcoin e a tecnologia blockchain por trás dela, é inevitável compararmos ao dinheiro fiduciário (dólar, euro, libra). E para ajudar nessa comparação, fizemos uma lista de vantagens do Bitcoin em relação ao dinheiro comum.

1. FACILIDADE NAS NEGOCIAÇÕES

Começar a negociar Bitcoin é simples e não exige conhecimentos super técnicos de investimentos, como em outros ativos do mercado financeiro que necessita de conhecimento aprofundado de mercado e gráficos de valorização.

2. UM "DINHEIRO UNIVERSAL"

Enviar dinheiro para fora do país ou pagar uma despesa internacional costuma ser algo trabalhoso e muitas vezes com taxas caras. O Bitcoin chegou para quebrar essas barreiras! É uma moeda universal, de fácil transferência e sem taxas de câmbio. Ou seja, do mesmo modo que você usa sua criptomoeda no Brasil, você pode usar na Ásia ou em qualquer lugar do mundo em que estiver. A maior vantagem é que sem ter que fazer câmbio, você não perde dinheiro na troca.

3. UM DINHEIRO PROTEGIDO

Por ser uma moeda digital, o governo ou instituições financeiras não têm acesso e não podem manipular, congelar ou controlar o seu dinheiro, ou seja, você é o seu próprio banco e tem total controle sobre ele.

4. INFORMAÇÕES DE TRANSFERÊNCIAS/ PAGAMENTOS SEGUROS

Fazer uma compra na internet pode ser algo arriscado, pois suas informações de dados pessoais e confidenciais estão suscetíveis a serem roubadas. Já com o Bitcoin, as informações ficam criptografadas e, apesar de ser um livro contábil público em que são registradas informações de transações de enviados e recebidos, o que é mostrado é seu endereço Bitcoin que são códigos de chave pública.

5. PROTEÇÃO CONTRA A INFLAÇÃO

O Bitcoin, diferente do dinheiro físico, tem uma quantidade máxima a ser atingida que foi programada pelo próprio protocolo quando foi escrito por Satoshi Nakamoto. Já o dinheiro fiduciário é controlado por um Banco Central de acordo com as políticas monetárias atuais, o que já causou a criação desenfreada de muitas notas impressas ocasionando perda do poder de compra. Como podemos ver o exemplo da hiperinflação da Venezuela.

Por isso, a diversificação em sua carteira de investimentos é importante, pois cada ativo tem suas particularidades, vantagens e desvantagens. É essencial que você conheça o tipo de investimento que você vai entrar, sabendo dos riscos que ele pode oferecer ao seu dinheiro.

CAPÍTULO 3

COMO FUNCIONA

O BITCOIN

O PROCESSO DE FUNCIONAMENTO

O Bitcoin é negociado na internet em uma rede própria, o blockchain: um banco de dados onde são registradas todas as transações entre os participantes da rede. O Bitcoin também é descentralizado e aberto (embora as informações dos participantes sejam anônimas).

[Cada transação de Bitcoin é feita entre os membros, registrada através de um software e também por membros mineradores, que verificam cada transação.]

Depois de validadas, as transações são acrescentadas a blocos distintos – daí o nome *blockchain* – a cada 10 minutos, quando são criados novos blocos. Por conta dessa validação, nunca foi possível, até hoje, fraudar Bitcoin.

COMO INVESTIR EM CRIPTOMOEDAS?

Existem algumas formas de investir ou adquirir Bitcoins e outras criptomoedas. É possível comprar cotas de fundos de criptomoedas, negociá-las diretamente em uma corretora especializada (também conhecida como exchange), e aceitar as moedas digitais como pagamento em algum negócio ou ainda minerando. Adquirir cotas de fundos é uma das formas mais simples. Em 2018, a Comissão de Valores Mobiliários (CVM) permitiu que os fundos brasileiros fizessem investimentos indiretos em criptomoedas no exterior – comprando derivativos ou cotas de outros fundos. Essas carteiras são distribuídas por corretoras e plataformas de investimento e alguns demandam aplicações de valor relativamente baixo (de R$ 5.000 ou até menos). Os fundos podem ser uma boa alternativa para quem quer se expor ao mercado de criptomoedas, mas não se sente seguro para fazer isso sozinho, já que quem decide e acompanha as aplicações é um gestor especializado. Quais são as principais criptomoedas? Nos últimos anos, muitas moedas virtuais surgiram e já passam de nove mil disponíveis, mas as principais, pelo valor de mercado, são:

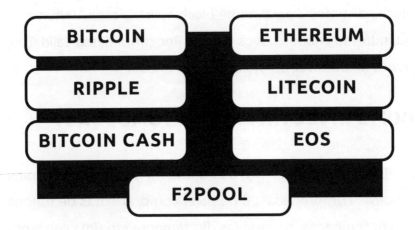

E COMO COMPRÁ-LAS?

É simples: abra uma conta em uma corretora de moedas virtuais e comece a negociar. É importante realizar uma pesquisa sobre as empresas disponíveis no mercado, verificar as avaliações dos clientes e questionar e entender as tarifas cobradas. Pois esse é um investimento financeiro e, assim como qualquer outro, precisa ser tratado com cuidado. Lembre-se também que investir em criptomoedas possui alto risco, já que o valor varia muito ao longo do tempo. Especialistas recomendam colocar apenas uma pequena parcela dos investimentos neste tipo de ativo.

VALORIZAÇÃO OU DESVALORIZAÇÃO

Essas variantes do Bitcoin, entre outras criptomoedas, funcionam de formas semelhantes.

Da mesma forma que acontece com os demais ativos de renda variável, a oscilação de preço do Bitcoin fica exposto aos movimentos de mercado.

Como o mercado de criptomoedas funciona 24 horas por dia e é descentralizado, não possuindo qualquer lastro com outro ativo, seu preço é estipulado apenas a partir da lei da oferta e demanda.

Por isso, os Bitcoins e as outras criptomoedas estão expostas fortemente à especulação financeira. A alta volatilidade pode fazer com que a cotação do Bitcoin tenha seu valor valorizado em milhares de dólares em poucas horas.

Na Bolsa de Valores, por exemplo, existe um mecanismo chamado Circuit Breaker, que protege os ativos da volatilidade exagerada. Coisa que não existe no Bitcoin e outras criptomoedas.

Desde o ano de 2013, o Bitcoin sofreu duas quedas que chegaram a aproximadamente 80% com tempo de recuperação superior aos mil dias.

CAPÍTULO 4

O MERCADO

O QUE É?

O mercado de criptomoedas é semelhante ao de ações (já popularmente conhecido), sendo um ambiente público e digital onde é organizado para negociação de algumas criptomoedas que estão circulando na internet.

As transações podem ocorrer por meio das corretoras de criptomoedas que intermediam as movimentações na internet.

Dentro desse ambiente digital é possível comprar e vender criptomoedas como o Bitcoin e outras, sendo possível até mesmo realizar avaliações de criptomoedas com dados fornecidos geralmente pelas próprias corretoras.

QUAL O TAMANHO DESTE MERCADO?

Hoje, existem mais de nove mil criptomoedas disponíveis para o investidor no mercado. É preciso ter em mente que apenas algumas são ideais para você, e que nem todas são bem fundamentadas como o Bitcoin e o Ethereum, por exemplo.

Essas nove mil criptomoedas que hoje circulam no mercado, juntas somam mais de dois trilhões de dólares. Isso equivale a mais de dez trilhões de reais.

Diferente do que se poderia imaginar, esse valor não foi movido apenas pelo Bitcoin (BTC), mas sim pela intensa valorização do ether (ETH) e das chamadas altcoins, que estão ganhando cada vez mais espaço.

Um dos parâmetros utilizados para avaliar o mercado de criptomoedas é a dominância do Bitcoin, ou seja, o quanto a moeda representa no mercado global. Quanto maior essa porcentagem, menor a chance de outras criptomoedas crescerem.

O BITCOIN

> O Bitcoin é a moeda mais importante pois representa 54% de todo o mercado.

Os dados abaixo são do site de monitoramento de criptomoedas CoinGecko, onde se acompanha detalhadamente as movimentações no mercado de criptomoedas e Bitcoin.

A plataforma de avaliação chegou a registrar o valor de mercado máximo de US$ 2.039 trilhões, uma alta histórica. O Bitcoin, por sua vez, ainda representa 54,1% de toda essa capitalização, enquanto o ether fica em segundo lugar, com 12%.

O Bitcoin saltou do preço de US$ 30 mil registrado em janeiro para o seu recorde de US$ 61 mil de meados de março. Essa valorização de cerca de 100% foi responsável pela alta no valor de mercado de todo o setor, porém o recorde do Bitcoin foi causado diretamente pelo ether e sua nova máxima no ano de 2021.

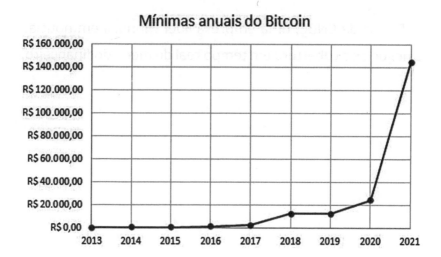

A TEMPORADA DAS ALTCOINS

Além do Bitcoin e Ether, outras moedas digitais alternativas aos líderes de mercado de criptomoedas, as chamadas altcoins, também dispararam nos últimos dias e tiveram um importante papel para o recorde de capitalização do setor.

Um exemplo de criptomoeda é a XRP, nativa da rede Ripple, que ultrapassou o preço de um dólar pela primeira vez desde 2018. Por mais que o valor seja baixo comparado ao Bitcoin, a moeda digital se valorizou em quase 100% em apenas dois dias.

Outra criptomoeda que disparou foi o litecoin (LTC), uma das principais altcoins. A moeda já subiu 24% desde o início do mês de abril, até o final do mês de junho em 2021. Enquanto isso, o Bitcoin Cash (BCH) também passou por uma grande valorização no mesmo período, de 28%.

Dados da CNBC, uma empresa líder mundial em notícias de negócios e cobertura em tempo real do mercado financeiro.

CAPÍTULO 5

O PERFIL INVESTIDOR

DESCUBRA OS PRINCIPAIS PERFIS

Esse termo é uma classificação que cada investidor ou pessoa que aplica seu dinheiro em um produto de investimento recebe e que está ligada ao risco que a pessoa está disposta a assumir com suas aplicações.

A Anbima (Associação Brasileira das Entidades dos Mercados Financeiro e de Capitais) e o mercado em si definem que existem três grandes tipos de perfil do investidor: agressivo, conservador, moderado. Esses são os três principais perfis com que trabalham as instituições financeiras.

Cada investidor tem um perfil determinado a partir do seu apetite ou aversão a riscos financeiros.

Essa classificação de perfil é uma exigência da CVM (Comissão de Valores Mobiliários), responsável por regulamentar todo o universo de investimentos, aplicações financeiras, instituições envolvidas e a bolsa de valores, entre outras coisas.

Na instrução de número 539, a CVM fala sobre a necessidade de as instituições financeiras oferecerem aos clientes os produtos de investimento adequados aos seus perfis.

Por isso, a grande maioria das instituições financeiras que oferecem produtos de investimento, principalmente corretoras de valores, fazem com seus clientes uma análise de perfil de investidor.

COMO SABER O SEU PERFIL DE INVESTIDOR?

Para saber seu perfil, não é necessário nada mais do que um questionário que deve ser respondido. É, na prática, uma avaliação para entender quais riscos o investidor está disposto a assumir ao fazer determinado investimento.

Com base no resultado, a instituição indicará quais são os produtos mais adequados para o cliente.

No mercado financeiro em geral, se usa muito o termo *"suitability"* para se falar sobre a adequação dos produtos de investimentos ao perfil do investidor. O termo usado é uma análise aplicada por uma instituição financeira, a fim de verificar se determinados investimentos são adequados para um cliente.

É importante dizer que o perfil de investidor não é imutável. Ou seja, os investidores podem mudar de perfil ao longo do tempo, principalmente quando começam a ganhar mais prática ao investir, conhecimento de como funciona o mercado financeiro e conforto com risco.

INVESTIDOR AGRESSIVO

O investimento em criptomoedas é muito atrativo para os investidores com perfil agressivo. Isso acontece em função das altas possibilidades de ganho e o risco de perdas. Esse investidor pode aproveitar o crescimento das moedas virtuais para expandir o patrimônio. Existem também moedas menos conhecidas, que são mais arriscadas e, com isso, possuem maior probabilidade de ganhos.

Porém, elas devem ser analisadas com calma antes de investir dinheiro. Isso irá evitar que você tenha um grande prejuízo. E para quem gosta de investir e não sofre com as variações do próprio dinheiro, essa pode ser uma alternativa para seguir a regra de investimento: "quanto mais arriscado é uma aplicação, maior é a sua rentabilidade".

INVESTIDOR CONSERVADOR

O investidor conservador é aquele que se expõe o mínimo possível para não perder o seu capital, ele é um investidor a longo prazo, que não está preocupado no momento com a rentabilidade. Seu lema é, não perder o que tem, e se ganhar um pouquinho já está muito bom. Resumidamente é o tipo de investidor que não quer perder o seu dinheiro, e se houver alguma perda, por sua vez, essa perda é mínima. Ele se baseia em renda fixa para não arriscar o seu capital, porque o seu objetivo principal é fazer de tudo para preservar o dinheiro que for aplicado com o mínimo possível de riscos. As aplicações que o conservador faz são em investimentos mais seguros e estáveis.

INVESTIDOR MODERADO

Podemos dizer que o investidor de perfil moderado corre um risco médio em suas aplicações – ele está disposto a assumir riscos um pouco maiores para ter uma rentabilidade também maior. Mas, ao mesmo tempo, não abre mão de certa segurança. Por isso, ele investe tanto em renda fixa, mais segura, quanto em outras opções, como fundos multimercados (de médio risco) e até ações.

Em outras palavras, ele não é completamente avesso ao risco e aceita assumir parte dele para ganhar mais, mas também se preocupa com sua segurança. Geralmente, os moderados são investidores que já têm maior conhecimento de como funciona o mercado.

TORNANDO-SE UM INVESTIDOR DE BITCOIN

Os investidores de Bitcoin são diferentes dos traders. Eles visam o longo prazo. Eles não querem aproveitar as flutuações de curto prazo da taxa de câmbio. Se o preço cair em centenas ou milhares de dólares, eles provavelmente ficarão preocupados, mas não irão retirar o investimento, porque já decidiram que vão mantê-lo pelos próximos dez, vinte ou trinta anos.

Um investidor sensato pratica o método do custo médio do dólar para gerenciar seu risco. Isso significa que, se o preço sobe ou desce, eles compram Bitcoins e os mantêm. Essa estratégia é perfeita para investimentos de longo prazo, pois você está basicamente repartindo o risco.

Embora os lucros possam não ser tão significativos quanto os das trades de curto prazo, os investidores de Bitcoin provavelmente dormem mais tranquilos à noite, já que eles não estão preocupados com os gráficos de amanhã ou depois de amanhã.

CAPÍTULO 6

TRADES

O QUE É DAY TRADE?

Quando um investidor compra e vende determinado ativo no mesmo dia ele é um day trade. Essa forma é utilizada por quem deseja ganhos em curto prazo, como profissionais 100% dedicados ao mercado financeiro.

O day trade é responsável em fazer uma análise técnica ou gráfica, para identificar as melhores oportunidades de investimento. Essa teoria verifica o comportamento dos ativos ao longo do tempo, sem tanta preocupação com dados como resultado operacional, fluxo de caixa e cenário econômico do país – no caso de empresas com ações listadas na Bolsa.

Com a análise técnica, são observadas variáveis como oscilação histórica dos preços e volume de negociações, na busca pelo momento certo da compra. Isso para o investidor se antecipar ao mercado e aproveitar os momentos de alta.

O termo, no mercado financeiro, é chamado de trade – "troca", em português. Todas as transações relacionadas à troca de bens. Os ativos podem ser dinheiro, commodities, ações, fundos, títulos, entre outros.

COMO FUNCIONA?

O trade de criptomoedas, de modo específico, trata da compra e venda dessas moedas digitais. Desta forma, todas as operações comerciais que as envolvem são parte desse grande circuito global de trocas financeiras.

Em geral, essas transações são muito mais que simples negociações. Realizar um bom trade significa maximizar os seus ganhos com aquele ativo, podendo aumentar significativamente o seu valor de mercado.

A criptomoeda fechou o ano de 2018 com surpreendentes 120 bilhões de dólares usados em transações. Apesar de algumas flutuações, o mercado soube se manter em alta e a tendência é que as moedas digitais continuem sendo boas opções de investimento pelos próximos anos.

COMO OPERAR?

Por ser mais trabalhoso, o day trade exige dedicação integral e não deve ser conciliado com outra atividade profissional.

Como as operações são feitas diariamente e demandam velocidade, elas costumam ser realizadas apenas com papéis mais líquidos, que não correm risco de enfrentar escassez no mercado.

No Brasil, o governo cobra 20% de imposto de renda sobre o ganho líquido de um day trade, independentemente da quantia negociada – em negociações que duram mais de um dia, é cobrado IR (Imposto de Renda) de 15% em cima do ganho líquido, com isenção para vendas de até R$ 20 mil no mês vigente.

Se você se interessa pelo mundo dos investimentos e quer saber como fazer um trade de criptomoedas de sucesso, é preciso entender como funciona. Fique atento a essas dicas importantes:

1. ESTUDE O MERCADO

Para fazer bons investimentos é preciso entender as tendências do mercado. Assim como em outros setores financeiros, as criptomoedas estão sujeitas a inúmeras flutuações que podem ser vantajosas ou desvantajosas para o investidor.

2. COMECE COMPRANDO AOS POUCOS

Comprar criptomoedas é um processo bastante simples. Entretanto, é importante estar atento, principalmente em sua primeira vez. Se você fez uma boa análise do mercado, saberá entender quais são os momentos propícios para adquiri-las e, futuramente, vendê-las.

3. ENTENDA OS TIPOS DE TRADE

Existem duas estratégias principais de fazer um trade. A primeira é a longo prazo e tem como objetivo esperar que o ativo valorize com o passar do tempo para, então, vendê-lo. O risco é que existe a possibilidade de haver uma desvalorização repentina.

Já a Day Trade tem como objetivo comprar a criptomoeda pela manhã e vendê-la no mesmo dia, com o valor do fechamento. Assim, os riscos de grandes prejuízos são menores.

O QUE É E COMO FUNCIONA O BUY AND HOLD?

No buy and hold, o agente compra e segura o ativo na carteira pensando no longo prazo, em uma perspectiva de anos ou até décadas.

A ideia é aproveitar a valorização do investimento com o passar do tempo, olhando mais para seus fundamentos e menos para o sobe e desce natural do mercado – utilizando a análise fundamentalista, sendo sempre comprovada pela abordagem técnica.

Bons exemplos de buy and hold são vistos no mercado de ações. Investidores mantêm posições em alguns ativos por muito tempo e realizam mais aportes para aproveitar os lucros e dividendos de empresas com ótimos resultados.

Outros preferem vendê-los no futuro, considerando a formação de poupança para a aposentadoria. Esse método pode ser conciliado tranquilamente com outras atividades profissionais, uma vez que a oscilação é um fator secundário. Mas isso não significa que ele está imune a preocupações.

O TRADING EM BITCOIN

Trade refere-se a um método de curto prazo que se baseia em tentar lucrar com a compra e venda de Bitcoins. Já o investimento é uma estratégia de longo prazo, em que um comprador armazena seus Bitcoins por um longo período e enfrenta eventuais quedas no preço de mercado.

O trader de Bitcoin prospera através da excitante volatilidade dos Bitcoins. Eles tentam avaliar o mercado e, dessa forma, compram Bitcoins quando o preço cai e esperam até que o preço aumente novamente para vender seus Bitcoins.

Trade é um jogo de alto risco, pois você estará apostando que o preço irá subir ou cair. No entanto, nem todos conseguem fazer trade.

Os traders mais bem-sucedidos são aqueles que têm nervos de aço e conseguem separar suas emoções de seus negócios.

CAPÍTULO 7

INVESTIMENTO X RISCO

ALTOS E BAIXOS

Quem já acompanha o mercado, mesmo que de longe, certamente já foi surpreendido pelos altos e baixos de moedas digitais no noticiário.

A mais famosa é o Bitcoin como destaquei neste livro, mas muitas outras têm relevância – e também a simpatia dos investidores. Mas afinal, como funciona o investimento e os seus riscos?

É exatamente isso que você vai aprender agora...

INVESTIMENTOS

Investir em Bitcoins e outras criptomoedas altamente voláteis é um negócio arriscado. Essas moedas são todas de natureza eletrônica ou virtual e, portanto, não possuem presença física. Elas nem sequer possuem valor intrínseco.

No entanto, ninguém pode negar que, atualmente, essas criptomoedas são extremamente valiosas e aqueles que fizeram investimentos em seus primórdios e mantiveram seus investimentos estão muito prósperos agora, vivendo como multimilionários e até mesmo como bilionários!

Se você quiser ser como esses sábios investidores futuramente, siga estas quatro estratégias de investimento para aumentar suas chances de sucesso.

COMO FUNCIONAM OS RISCOS?

As criptomoedas não valorizam ou desvalorizam na mesma proporção, cada uma tem um ritmo diferente. Mas todas podem desvalorizar juntas quando um movimento maior no BTC acontece.

Com isso, estar exposto a diversas altcoins ao mesmo tempo pode te prejudicar ainda mais.

A popularidade das criptomoedas cresce mais a cada dia. Ao ligar a televisão, acessar um portal de notícias e até entrar nas redes sociais, é quase impossível não ter contato com algum assunto relacionado a esses ativos.

A repercussão geralmente se mostra extrema: é 8 ou 80. Valorizações exorbitantes ou quedas catastróficas são noticiadas quase diariamente; vemos celebridades e gigantes do mercado investindo milhões em criptomoedas ou as condenando inevitavelmente ao fracasso.

Esse sensacionalismo acaba promovendo reações similares: ou o indivíduo se assusta e promete nunca investir um centavo sequer, ou é movido pela ambição e investe tudo que tem. Assim, o ciclo de exageros perdura, e mais uma leva de notícias e informações que carregam o mesmo tom polarizado surgem, acabando por prejudicar novos investidores.

CUIDADOS AO INVESTIR

O mercado dos criptoativos não é nenhum bicho de sete cabeças: basta você não cair na desinformação e é para isso que este livro serve.

Então confira abaixo algumas dicas que irão te ajudar a fazer um bom investimento em criptoativos.

1. PREPARE-SE PARA A VOLATILIDADE

As criptomoedas são, sem dúvida, extremamente voláteis. Em determinado momento, o preço está em cinco dígitos e, logo em seguida, em quatro, ou até mesmo três dígitos! Elas são totalmente imprevisíveis e, se você não levar essa volatilidade a sério, poderá enfrentar muitos problemas. Você poderá entrar em pânico e vender sua criptomoeda a fim de minimizar seu prejuízo. No entanto, se você estiver preparado para situações como essa, provavelmente desligará seu computador ou sua TV, e irá dormir. Amanhã é um novo dia, o preço poderá voltar a subir e tudo ficará bem. Estar preparado para a volatilidade é difícil, mas é definitivamente viável.

2. AJA COM PRUDÊNCIA

Faça sua pesquisa antes de começar a investir em Bitcoins e em outras criptomoedas. Quando você está lidando com dinheiro arduamente ganho, você não quer pôr tudo a perder em um dia. Você está investindo para lucrar em algum momento no futuro. Não aposte tudo o que tem sem examinar aonde seu dinheiro está indo.

3. DIVERSIFIQUE SUA CARTEIRA DE INVESTIMENTOS

Não aposte todas as suas fichas em um único negócio, por assim dizer. Não invista apenas em Bitcoins. Se possível, invista em outras criptomoedas, bem como em ativos tradicionais, como ações, títulos e fundos mútuos. Pelo menos se os preços do Bitcoin caírem, você não estará totalmente no vermelho. Seus outros investimentos ajudarão você a seguir em frente.

4. GUARDE SUAS MOEDAS VIRTUAIS EM COLD WALLETS

Investir é um processo de longo prazo, e não é aconselhável manter suas criptomoedas em carteiras online, como a carteira de sua exchange (casa de câmbio de criptomoedas) ou carteiras de aplicativos de celular. Mantenha suas private keys (chaves privadas) em cold wallets, como paper wallets (carteiras de papel) ou carteiras de hardware, já que elas não estão conectadas à internet. Você pode manter pequenas quantias em suas carteiras online, mas a maior parte de seus investimentos deve estar offline.

TOME CUIDADO COM O FOMO (FEAR OF MISSING OUT)

Em uma tradução livre isso significa "o medo de perder". Uma das coisas que mais afasta novos investidores do mercado e até impede investidores já experientes de prosperar ainda mais é o medo de perder.

Vendo os números exorbitantes na mídia, muitos investidores e não-investidores correm e aplicam quantidades muito altas no mercado cripto de uma vez, sem sequer entender o funcionamento desse mundo e no que estão investindo.

Um exemplo disso é a alta da Dogecoin. Nascendo como um meme, em 24 horas o preço da moeda chegou a subir 41%. Só em 2021, o retorno já é de 8100%. Apesar dos retornos tentadores, a DOGE não deixa de ter nascido de uma brincadeira e não é tão fundamentada como o Bitcoin e Ethereum. Investir nela sem experiência pode ser muito perigoso.

Além disso, é preciso ser sincero com você mesmo. Os criptoativos oscilam muito: você pode lucrar 100% em um dia e pode perder a mesma quantidade em outro. Por isso, uma boa gestão de risco, um bom psicológico e uma boa estratégia são muito necessários ao entrar nesse mundo. Também é recomendado que se faça um teste de Perfil de Investidor, para ver se essa modalidade faz sentido para você.

CUIDADO COM MOVIMENTOS DE PUMP AND DUMP

Do inglês, pump and dump significa "inflar e largar". Isso acontece quando uma pessoa ou um grupo (geralmente organizado) compra grandes quantidades de algum ativo que tenha baixo valor e liquidez para aumentar artificialmente o preço dos papéis.

A alta acaba trazendo novos investidores, e o grupo começa a vender as ações compradas anteriormente com lucro. Esse processo derruba a ação para valores às vezes até mais baixos do que estavam antes, mas nesse processo os golpistas já conseguiram arrecadar um bom dinheiro.

É preciso tomar cuidado para não cair nesses movimentos. Essas ações geralmente são divulgadas em fóruns da internet, portanto, prefira informações vindas de fontes confiáveis, não de usuários sem credenciais.

MONITORE SEUS ATIVOS

Achou o ativo ideal para você e investiu? Monitore seus ganhos e perdas! Acompanhe a evolução dos seus investimentos e ajuste a sua posição conforme ache necessário.

Às vezes o projeto está melhor do que o esperado e outras vezes algo que tinha grande potencial não está dando certo. Para não perder o timing, é sempre bom ficar atento: pode ser que você precise vender seus criptoativos e abarcar uma nova jornada de investimentos ou até colocar um pouco mais de investimento ali.

De qualquer forma, você só saberá o que fazer se acompanhá-los!

FOCO NO LONGO PRAZO

É preciso dizer: você não vai ficar rico do dia para a noite!

A melhor maneira de obter lucros sustentáveis é com paciência e conhecimento. O investidor inteligente não se abala com burburinhos da mídia e notícias que mostram ganhos súbitos: você precisa traçar sua própria estratégia e ter bases sólidas do porquê estar investindo em determinado ativo.

Por isso também é importante escolher ativos fundamentados. Esses são os que, a longo prazo, poderão trazer retornos consistentes.

NÃO COMPRE TUDO DE UMA VEZ

As criptomoedas não valorizam ou desvalorizam na mesma proporção, cada uma tem um ritmo diferente, mas todas podem desvalorizar juntas quando um movimento maior no BTC acontece. Com isso, estar exposto a diversas altcoins ao mesmo tempo pode te prejudicar ainda mais.

Então, apesar da diversificação ser importante nos investimentos no geral, aqui ela se torna um pouco perigosa. Mais do que ela, é importante se expor a ativos muito fundamentados e visar prazos maiores.

Além disso, existem algumas maneiras de proteger seus investimentos. Um exemplo disso é a DCA (do inglês, a média do custo em dólar). Essa é uma estratégia em que o investidor divide o valor total a ser investido em compras periódicas de um ativo específico, como por exemplo o Bitcoin.

As compras ocorrem independentemente do preço do ativo e em intervalos regulares, e tem como objetivo reduzir o impacto da volatilidade na compra geral. É uma estratégia de investimento equilibrada, o que é muito importante quando você decide aplicar no mundo cripto.

NÃO INVISTA O ÚNICO DINHEIRO DA SUA VIDA

Ou seja, só coloque aquilo que você pode perder. Não se aventure em renda variável sem ter uma reserva financeira! Esse é um elemento básico de uma vida financeira bem estruturada.

NÃO EXISTE ALTA INFINITA

As criptomoedas são muito atrativas por causa dos lucros que trazem aos investidores. É justamente por isso que a volatilidade delas é tão grande.

Algumas moedas, como o Bitcoin, apresentam uma expectativa futura de muita valorização. Contudo, isso é a longo prazo. No curto prazo, as correções fazem parte da rotina! Você precisa estar preparado para elas, financeira e psicologicamente.

INVISTA POR MEIO DE PLATAFORMAS CONHECIDAS

Com o crescimento da fama dos ativos, o número de corretoras – e de golpes – cresce também. O ideal é encontrar plataformas de confiança como a Binance, uma das melhores e mais confiáveis corretoras de cripto do mercado, que possuem um bom número de clientes, tempo de mercado e volume de transações. Esses fatores indicam a alta confiabilidade da corretora.

Tendo em mente todas as dicas acima e estando bem entendido dos riscos inerentes ao mercado, você pode mergulhar mais tranquilamente no mundo das criptomoedas com maior fundamento, usando a carteira da Binance. Ela está disponível para iOS e Android, permitindo que você gerencie suas transações diretamente do celular.

CAPÍTULO 8

TERMOS DO MUNDO CRIPTO

ENTENDA A LINGUAGEM

Com a popularização das criptomoedas, vários termos e palavras utilizadas neste meio começaram a aparecer nos noticiários. Se para quem já entende do assunto algumas palavras podem parecer criptografadas, imagine para quem está começando agora.

Para ajudar no entendimento desses termos, vamos apresentar uma espécie de dicionário das criptomoedas com as palavras mais utilizadas no mundo cripto:

ENDEREÇO

O endereço de Bitcoin é semelhante ao endereço de e-mail com o qual você provavelmente está familiarizado. É gerado durante o registro na carteira exclusiva que você está criando. Ele combina letras e números e é a única informação necessária para realizar uma transação, é exclusivo para cada indivíduo.

BIT

Esta é a unidade comum usada para designar uma subunidade de um Bitcoin. 1000000 bits é igual a 1 Bitcoin. É a unidade usada em pequenos valores no mundo Bitcoin.

BITCOIN

Repare que este conceito tem dois significados. Quando iniciado por letra maiúscula, é usado para descrever o conceito da moeda digital Bitcoin e toda a sua rede de operações. Sem letra maiúscula, é usado para descrever a unidade monetária de uma conta, por exemplo, 0,01 BTC.

BLOCK (BLOCO)

É um registro de dados no Blockchain que controla e confirma muitas transações em espera. Aproximadamente a cada 10 minutos, em média, um novo bloco é adicionado ao Blockchain por meio de atividades de mineração.

BLOCKCHAIN

É um registro ou registro público de transações de Bitcoin em ordem sequencial. É compartilhado entre todos os usuários do Bitcoin. Ele é usado para verificar a estabilidade das transações de Bitcoin e evitar gastos duplicados.

BTC

Unidade monetária usada para representar um Bitcoin.

CONFIRMAÇÃO

Representa uma única transação que foi processada pela rede e é improvável que seja revertida. As transações são confirmadas quando são incluídas em um bloco e em blocos subsequentes. Cabe ressaltar que uma única confirmação é segura o suficiente para transações de baixo valor.

No entanto, quando a transação de uma quantia maior é efetuada, faz mais sentido esperar por mais de oito confirmações. Isso reduzirá a possibilidade de reversão.

CRIPTOGRAFIA

Este é o ramo da matemática que auxilia na criação de provas matemáticas que fornecem altos níveis de segurança, muitos setores bancários e comerciais que usam tecnologia de ponta já começaram a usar criptografia.

No mundo das moedas digitais, é importante evitar que usuários não autorizados usem a carteira de outro usuário.

DOUBLE SPEND (GASTO DUPLO)

Refere-se a casos em que usuários suspeitos tentam gastar os mesmos Bitcoins em duas transações diferentes simultaneamente. O Blockchain, que é altamente protegido através de criptografia, irá obter um consenso na rede quanto a qual das duas transações será confirmada e considerada válida, enquanto a outra será invalidada.

HASH RATE (TAXA DE HASH)

Esta é a unidade usada para medir o poder de processamento da rede Bitcoin. Para se proteger, a rede Bitcoin cria operações matemáticas completas. Dessa forma, quando a rede atinge uma taxa de hash de 10 Th/s, ela completa 10 trilhões de cálculos por segundo. Isso significa que quando a taxa de hash é alta, a rede cria uma conexão mais segura.

MINERAÇÃO

Este é um processo que faz com que o hardware do computador execute cálculos matemáticos para que a rede Bitcoin confirme transações e as proteja. Os mineradores ganham suas recompensas a partir das pequenas taxas incorridas por transação confirmada e dos novos Bitcoins criados. A mineração é um mercado competitivo e as recompensas são distribuídas de acordo com a quantidade de cálculos corretamente realizados.

P2P

O acrônimo significa Par-a-Par ou Ponto-a-Ponto. Refere-se a sistemas que funcionam como um coletivo organizado, permitindo que indivíduos interajam diretamente uns com os outros, sem intermediários. Nesse caso, um usuário transmite as transações de outros usuários sem que haja terceiros envolvidos no processo.

PRIVATE KEY (CHAVE PRIVADA)

É um dado sigiloso que confirma sua qualificação para gastar Bitcoins de uma carteira específica através de uma assinatura criptográfica. Essa chave é armazenada no computador para usuários de cold wallets e em servidores remotos para usuários de carteiras online. Essa chave deve estar protegida contra usuários não autorizados.

ASSINATURA

Este é um mecanismo matemático que garante a prova da propriedade de uma carteira. No Bitcoin, a chave privada e a assinatura estão interligadas por um mecanismo extremamente complexo a fim de garantir segurança.

WALLET (CARTEIRA)

A carteira de Bitcoin é, de certa forma, equivalente a uma carteira física ou a uma conta bancária na rede Bitcoin. Esta carteira é protegida por chave privada e assinatura, garantindo a posse de um único usuário. A chave privada permite que os usuários utilizem os Bitcoins atribuídos a ela no Blockchain. Cada carteira de Bitcoin pode mostrar o saldo total de todos os seus Bitcoins. Ela faz o controle e possibilita que os usuários paguem determinadas quantias a outro usuário.

CAPÍTULO 9

APLICATIVOS E SITES

TRADINGVIEW - SITE

O TradingView é uma ferramenta completa e eficiente para análise gráfica. Além de cobrir criptomoedas, possibilita comparar a performance com ações de empresas, fundos negociados em bolsa, indicadores econômicos, e muito mais. Além da série de indicadores grátis incluindo Bandas de Bollinger, médias móveis, estocástico, índice de força relativa, entre outros. Para usuários em níveis avançados é possível criar indicadores próprios e até mesmo testar a regressão.

NOMICS.COM - SITE / APP ANDROID E IOS

Ótimo para quem deseja ver um ranking das criptomoedas, com opções para dados diário, semanal, mensal ou anual. O Mercado Bitcoin se orgulha em apresentar a mesma nota das grandes exchanges consagradas como: Kraken, Coinbase e Gemini. Ao selecionar uma das moedas você consegue ver o gráfico, quantidade em circulação, máxima histórica, além da distribuição do volume em cada moeda fiduciária.

BLOCKFOLIO - APP ANDROID E IOS

Com mais de 1 milhão de downloads, é o app líder em gerenciamento de carteira de criptoativos. Você pode definir alertas de preço, além de acompanhar diretamente as notícias dos principais sites internacionais. O aplicativo é grátis e permite que o usuário diga a quantidade de cada moeda, além do preço de aquisição. Conta ainda com diversas moedas fiduciárias e ferramentas de gráficos.

COINTELEGRAPH BRASIL – SITE / APP ANDROID E IOS

Considerado o maior site de notícias de criptomoedas do mundo, é editado por redatores e editores nos EUA, Brasil, Itália, Espanha, Ásia e Turquia. Além das notícias e das análises gráficas, possui também uma área de "análise de preço/mercado" com viés fundamentalista. A versão brasileira possui o material traduzido dos diversos países, além de produção de conteúdo local.

VECTOR, SISTEMA DE NEGOCIAÇÃO DA VERTEX TECHNOLOGIES

Vector é a primeira exchange que permite negociações. Este software profissional acompanha e negocia criptomoedas une os recursos de análise gráfica, tape reading, funcionalidades operacionais, além de gestão de risco e dados on-chain. O Vector reuniu recursos analíticos-operacionais para atender desde o iniciante até o trader mais exigente do mercado de criptomoedas com alta performance. E o mais importante é que o mercado Bitcoin já está pronto e integrado ao Vector.

CAPÍTULO 10

VOCABULÁRIO CRIPTO

PALAVRAS-CHAVE

O número de investidores interessados nos ativos também nunca foi tão alto. Um estudo recente da Universidade de Cambridge aponta que, hoje, 101 milhões de pessoas possuem Bitcoins ou outras criptomoedas. Em 2018, eram 35 milhões.

Para começar a estudar investimentos nessa área, no entanto, é preciso entender o vocabulário dela, que traz termos como "altcoins", "blockchain" e "halving".

Irei apresentar algumas das palavras-chave para você entender um pouco mais sobre o vocabulário do mundo cripto, mas vamos dar uma atenção maior para as Altcoins, Blockchain, e Halving onde irei te explicar mais profundamente sobre essas três e porque elas são extremamente importantes.

OS ATIVOS DIGITAIS

Essa é uma referência comum utilizada para se referir a qualquer criptomoeda ou token.

Como investimento, os ativos digitais representam a próxima grande aposta do mercado financeiro atual, para um avanço significativo no número de investidores, de acordo com especialistas e gestores de fundos de investimento. O motivo é por esse novo formato ser capaz de abranger uma gama muito maior de investimentos (inclusive internacionais).

Além disso, investimentos em ativos digitais podem ser feitos de qualquer lugar, pois apenas é necessário possuir internet na hora de negociar, e ela pode ser acessada no mundo inteiro, quebrando barreiras como localização, moedas nacionais, entre outras.

É fato que todos buscam que seus bens digitais estejam em segurança contra cópias ou adulterações, e que exista uma portabilidade deste ativo. De maneira similar, a transferência de ações e títulos entre corretoras de valores tradicionais é dependente de processos manuais. Dessa maneira, ao registrar ativos digitais em bancos de dados públicos descentralizados, todos ganham com a menor burocracia, transparência e portabilidade.

Isto já ocorre com criptomoedas, criptoativos lastreados em ouro e dólar, e tokens.

A ARBITRAGEM

Agora, explicando de forma mais técnica, a arbitragem é uma operação que consiste na compra e venda de determinado ativo, em mercados diferentes, com o objetivo de se obter lucro sobre a rápida discrepância de preços.

Essa estratégia tem como objetivo a exploração de diferenças de preços de instrumentos financeiros idênticos negociados em mercados distintos. Portanto, a arbitragem é o resultado de uma breve distorção de preços de um ativo praticados em mercados diferentes.

Ela pode envolver operações no mercado futuro, com derivativos, no mercado à vista, com ações e até mesmo com o aluguel de ações e também no mercado de opções.

A arbitragem ocorrerá sempre que um bem comprado em um mercado for vendido simultaneamente em outro por um preço mais elevado. Atualmente, encontrar essas distorções de preços no mercado tem sido uma tarefa cada vez mais árdua, uma vez que, quando identificadas, rapidamente há investidores prontos para aproveitá-las, fazendo com que, na mesma velocidade, as distorções sejam corrigidas.

É por isso que o investidor que pretende realizar operações de arbitragem busca fazê-las tão logo que as identifica. Assim, o avanço tecnológico do mercado financeiro tem contribuído para a monitoria de preços dos ativos em diferentes mercados, permitindo que as discrepâncias entre eles sejam identificadas pelo investidor que pretende aproveitá-las.

Ainda contextualizando como a arbitragem ocorre, é importante que você conheça também o conceito de arbitragem perfeita.

ASSINATURA MÚLTIPLA (MULTI-SIG)

Esse é o recurso que permite que uma criptomoeda seja gasta apenas se um grupo de pessoas autorizar que a transação ocorra. Esse tipo de função geralmente é utilizado por empresas a fim de evitar que gastos sejam feitos sem o consentimento de todos os membros que possuem as chaves da carteira.

BULL

Os chamados "touros" são os investidores que acreditam que vai haver um aumento no preço de um ativo. E Bull Market é o termo utilizado para representar uma tendência de alta de preços no mercado.

BEAR

Os chamados "ursos" são os investidores que estão pessimistas em relação à recuperação do mercado. E Bear Market é o termo usado para quando o mercado está em baixa, ou seja, quando os preços estão em queda.

AS BALEIAS

É o nome dado para as pessoas que possuem grandes quantidades de criptomoedas. As "baleias" podem influenciar o mercado quando vendem seus criptoativos.

O mercado financeiro pode ser comparado a uma selva, tanto na Bolsa de Valores quanto nas criptomoedas. Essa luta pela sobrevivência fez com que os investidores utilizassem animais para descrever situações da natureza, embora neste caso, envolvendo apenas valores monetários.

De fato, é bem comum a utilização do touro, utilizado para descrever mercados de alta, e urso, em situações de queda. No entanto, para descrever traders e instituições, predominam os termos sardinha e baleia.

De forma resumida, as baleias são os grandes investidores, sejam eles bancos, fundos de investimento, fundadores da empresa ou indivíduos muito ricos. Na ponta oposta, a sardinha é o pequeno investidor de varejo, tradicionalmente descrito como mais vulnerável. Baleias são os grandes investidores institucionais com bolsos muito fundos. As baleias têm o potencial de mudar a tendência do mercado com suas transações gigantescas.

Esses fundos e grandes investidores gerenciam milhões de dólares (ou centenas de Bitcoin) e conseguem entrar e sair de suas posições sem precisar do livro de ofertas nas corretoras ou exchanges.

Portanto, podem se mover de forma silenciosa, embora causando um grande estrago.

Com sua grande massa de capital, as instituições conseguem mover o mercado de forma mais fácil. É aqui que a metáfora Baleia de Bitcoin se encaixa, pois os pequenos investidores devem simplesmente sair do caminho, ou são empurrados com força. Além disso, nenhuma corrente é forte o suficiente para desviar uma baleia de seu curso.

BLOCO GÊNESIS

É o termo dado ao primeiro bloco de uma blockchain.

Em 3 de janeiro de 2019, o Bitcoin completou sua primeira década. Foi nessa data que Satoshi Nakamoto minerou o primeiro bloco da moeda virtual – o Bloco Gênesis. A identidade do criador da moeda permanece desconhecida e ainda gera diversos questionamentos, além de inspirar mitos.

Desde então, a criptomoeda não parou de crescer e ganhou popularidade, a sua tecnologia – o blockchain – permitiu a criação de diversas outras moedas virtuais, além de ganhar inúmeras aplicações.

AS CRIPTOMOEDAS

Esse é o nome dado às moedas virtuais que, assim como qualquer outra moeda, possuem poder de compra e venda no mercado. Alguns exemplos como destacamos neste livro:

- Bitcoin
- Ether
- Outras

DAY TRADER

Esse é um termo bastante prático para investidores com perfil mais arrojado.

Os traders buscam comprar e vender ativos no mesmo dia, visando um lucro rápido.

AS ALTCOINS

Altcoins são criptomoedas alternativas ao Bitcoin. A maioria dos altcoins surgiu a partir de bifurcações do código-fonte do Bitcoin, com o intuito de modificar alguns parâmetros internos da rede do Bitcoin ou adicionar novas características, a depender do objetivo de cada altcoin.

A Bitcoin e a Ethereum são como a Coca-Cola e a Pepsi das criptomoedas: o valor somado das duas, de cerca de US$ 1 trilhão (cerca de R$ 5 trilhões), é responsável por quase dois terços do total de US$ 1,6 trilhão (cerca de R$ 8,1 trilhões) em moedas digitais em todo o mundo.

Mas, assim como alguns fãs de refrigerantes preferem Dr. Pepper (ou os refrigerantes de guaraná), também há muitas outras alternativas em criptomoedas. De fato, são mais de dez mil delas, de acordo com o site de pesquisa CoinMarketCap.

Muitas dessas "altcoins", as moedas alternativas, têm casos de uso de nichos legítimos para setores específicos. Não são criptomoedas que começaram como uma piada, como a adorada dogecoin de Elon Musk e sua prima canina, a Shiba Inu.

Um dos pares de criptomoedas com melhor desempenho neste ano são dois tokens voltados para criadores de conteúdo online, Theta e Theta Fuel. O token Theta subiu quase 400% em 2021, enquanto o Theta Fuel foi a espantosos 1.700%.

Ambos são executados em um blockchain conhecido como Theta Network e permitem que usuários de PC com largura de banda não utilizada compartilhem streams de vídeo com outras pessoas na rede. A recompensa? Eles podem minerar tokens. O Theta tem patrocinadores impressionantes do mundo da mídia digital, incluindo o cofundador do YouTube Steve Chen e o cofundador do Twitch, Justin Kan, ambos conselheiros do Theta.

Enquanto isso, muitas outras altcoins estão atraindo mais atenção na comunidade de investidores em criptomoeda. Vários desses investidores dizem que isso é apenas o começo.

"Ainda vivemos o início das redes de blockchain. Há muitas outras sendo construídas", disse Greg King, fundador e CEO da Osprey Funds, uma empresa que está investindo em criptomoedas. "Nem todas estão tentando imitar a Bitcoin".

King disse que está se concentrando em duas moedas menores: polkadot e algorand. King descreveu a polkadot como uma internet de blockchains que ajuda a conectar diferentes redes e transferir moedas entre elas.

Segundo ele, a algorand é uma criptomoeda "verde", mais ecológica do que a Bitcoin, que tem sido criticada por muitos, incluindo Musk, pela enorme quantidade de energia que é usada por pessoas que a mineram em imensos servidores.

A algorand é distribuída de maneira mais eficiente em termos de energia porque faz parte da chamada distribuição de prova de aposta, que seleciona aleatoriamente blocos para distribuir aos usuários, em vez de recompensar pessoas que mineram grandes quantidades da moeda. King acha que os investidores deveriam se concentrar mais em criptomoedas e tokens como esses dois, que têm usos legítimos – e não se deixar levar pela modinha e o burburinho de coisas como dogecoin, que, mesmo sendo uma piada, aumentou mais de 6.000% este ano em grande parte graças aos tuítes de Musk.

"As moedas me distraem um pouco, mas acho que faz parte do lado libertário da criptomoeda", opinou King, referindo-se ao fato de que as pessoas que são céticas em relação às moedas apoiadas pelo governo tendem a migrar para as moedas digitais. "Teremos muitos tokens que irão do bobo ao sério e muitos intermediários", disse.

Michael Sikorsky, presidente da plataforma financeira Copia Wealth Studios, concorda. Ele disse que sua empresa possui Ethereum e Bitcoin, mas que também várias outras altcoins menos convencionais, como cardano e polygon, duas outras criptomoedas semelhantes à algorand por não serem mineradas por supercomputadores que consomem muita energia.

"Estamos só começando", afirmou. Mas ele acrescentou que os investidores devem ter em mente que essas e outras criptomoedas permanecerão voláteis. Portanto, as altcoins não são só para quem tem nervos de aço, mas, ao mesmo tempo, elas não vão desaparecer.

"Elas estão se tornando uma verdadeira classe de ativos", pontuou Charlie Silver, CEO da Permission.io, que tem um token chamado ASK voltado para anunciantes de comércio eletrônico.

No entanto, Silver advertiu que "altcoins bem-sucedidas devem ter uma utilidade real. Aquelas que são apenas apostas não serão boas para o setor", disse. "Mesmo assim, vemos isso como a próxima grande onda de investimentos".

A BLOCKCHAIN

A tecnologia Blockchain nada mais é do que um livro de razão pública (ou livro contábil) que faz o registro de uma transação de moeda virtual (a mais popular delas é o Bitcoin), de forma que esse registro seja confiável e imutável.

Ou seja, a Blockchain registra informações como a quantia de Bitcoins (ou outras moedas) transacionadas, quem enviou, quem recebeu, quando essa transação foi feita e em qual lugar do livro ela está registrada. Isso mostra que a transparência é um dos principais atributos da rede.

Ela armazena as informações de um grupo de transações em blocos, marcando cada bloco com um registro de tempo e data. A cada período de tempo (10 minutos no Blockchain), é formado um novo bloco de transações que se liga ao anterior.

Os blocos são dependentes um dos outros e formam uma cadeia (por isso o nome: Blockchain). Isso torna a tecnologia perfeita para registro de informações que necessitam de confiança, como no caso de uma transação de Bitcoin e outras criptos.

A rede do Blockchain é formada por mineradores que verificam e registram as transações no bloco.

Para que isso seja possível, os mineradores emprestam poder computacional para a rede. Como incentivo para continuarem colaborando e tornar a rede sustentável e mais segura, eles recebem uma recompensa em moedas digitais.

O minerador só pode adicionar uma transação no bloco se uma maioria simples (50%+1) da rede concordar que aquela transação é legítima e correta. O nome disso é o consenso da rede Blockchain. No caso do Bitcoin, o consenso é medido através do poder computacional.

Duas cadeias de blocos podem ser formadas ao mesmo tempo, o impasse será resolvido quando a rede precisar escolher uma das cadeias. No final, ganha a cadeia que tiver a maior quantidade de trabalho.

Resumindo, a tecnologia blockchain é um livro contábil público e distribuído que registra todas as transações de moeda virtual em uma cadeia de blocos em que qualquer um pode participar.

Desde que a maioria da rede se mantenha honesta, as informações registradas nele são confiáveis, imutáveis e transparentes.

HALVING

O halving do Bitcoin é uma característica que está encravada dentro do código da criptomoeda. Diferente dos sistemas monetários atuais nos quais os governos imprimem dinheiro sem parar, o Bitcoin reduz sua emissão a cada quatro anos.

O ano de 2021 foi decisivo em relação ao halving pois se aproximou o ano em que estávamos cada vez mais próximos de um novo halving, no qual o total de Bitcoins emitidos a cada dez minutos cairá de 12,5 para 6,25 Bitcoins.

Até o momento tivemos apenas 2 halvings para fazer uma comparação histórica. O primeiro halving aconteceu em 2012 e o segundo em 2016. Em ambos os casos, vimos que o valor do Bitcoin subiu consideravelmente e mudou seu patamar de preço.

Antes do primeiro halving, o Bitcoin era negociado nas dezenas de dólares. Após isso, ele começou a ser precificado na casa das centenas e por último nos milhares de dólares.

Comparando o histórico do halving e fazendo algumas extrapolações foram criadas teses sobre o futuro da criptomoeda após esse evento.

Há várias teses sobre o preço do Bitcoin após o halving. Algumas positivas e outras nem tanto.

Primeiramente vamos falar do modelo "Stock-to-flow" (S2F), muito disseminado por quem acredita que a criptomoeda irá subir para outro patamar de preço.

O S2F não é uma ideia nova, o conceito foi criado antes do Bitcoin para medir a escassez relativa de metais preciosos.

A ideia básica do modelo é que o efeito da escassez no preço do BTC possa ser medido usando a atual oferta circulante de Bitcoin e sua taxa de produção ou fluxo. O "stock" é o inventário da moeda e o flow é a quantidade minerada entrando no mercado a cada ano.

Dessa forma, o S2F nos dá o número de anos para a produção atual chegar no inventário disponível hoje.

> "A cada halving do Bitcoin a taxa de escassez dobra e o valor de mercado aumenta dez vezes, esse é um fator constante.", diz o analista Plan B.

De acordo com o pesquisador Plan B e utilizando da taxa de escassez, o Bitcoin cresceria em outra ordem de magnitude, podendo chegar às centenas de milhares de dólares no futuro.

Detratores do modelo dizem que o S2F tem poucos fundamentos. Para eles, a correlação vista até agora entre preço e supply não é suficiente e poderia ser coincidência.

Além disso, o halving do Bitcoin é algo que todas as milhares de empresas e pessoas sabem que vai acontecer. Por isso, talvez o impacto já tenha sido colocado no preço do ativo.

Outra tese sobre o que vai acontecer com o preço do Bitcoin após o halving está relacionada à redução da pressão de venda dos mineradores.

Os mineradores de Bitcoin têm um influxo recorrente de moedas, contudo, eles precisam vender boa parte das moedas para pagar suas contas de eletricidade em fiat money (yuan, euro e dólar).

Depois do halving, eles terão metade do Bitcoin para vender. Ou seja, terão uma pressão menor. Diariamente são produzidos 1800 BTC, com o preço em US$9 mil temos um total de US$16.200,00 de pressão diária ou US$5.913.000.000 por ano.

A ideia básica é que os mineradores parem de vender tanto. Isso deixaria margem para um aumento de preço se a demanda continuar a mesma ou aumentar.

Entretanto, como o Cointimes mostrou na reportagem sobre o indicador de Inventário dos Mineradores (MRI), eles muitas vezes não exercem uma pressão constante na venda. Isso acontece pois vários deles estão minerando com visão no longo prazo.

Fazendo uma relação entre o preço e o MRI, vemos que os mineradores tendem a vender quando o mercado consegue absorver a demanda.

Empresas como Bitmain, Blockstream e, que são mineradoras, têm dinheiro suficiente para manter seus Bitcoins por muito tempo e aguardar uma alta para despejá-los.

CAPÍTULO 11

DINHEIRO X CRIPTO

DINHEIRO IMPRESSO X DINHEIRO DIGITAL

Para falar de criptomoeda e dinheiro, nada melhor do que começar a explicação usando o Bitcoin como a nossa referência principal para abordarmos este assunto.

O Bitcoin é uma classe de ativos completamente nova que nasceu na internet, então é uma classe digital que é tangível, mas está apenas na forma digital.

Dado que nossa sociedade acolheu a internet, já era hora de adotarmos o Bitcoin como uma reserva de valor e um dinheiro na forma digital para que as pessoas paguem umas às outras.

É isso o que o Bitcoin é, por ser uma nova classe de ativos que começou do zero. E eu acho que é um grande rival das maiores classes de ativos, como imóveis, metais preciosos, ações e títulos.

Cada uma dessas classes de ativos tem um valor de mercado na casa dos trilhões de dólares. Hoje, o Bitcoin tem apenas US$ 1 trilhão e, se chegar a US$ 100 trilhões ou mais, possui um potencial de crescimento de investimento.

É por isso que as pessoas devem prestar atenção agora antes de se tornar uma classe de ativos de US$ 100 trilhões de dólares. Nunca é tarde para entrar nesse mercado e começar a investir e armazenar alguns Bitcoins.

PRIVACIDADE CRIPTO

Ninguém tem o controle das criptomoedas – nenhum governo, Banco Central ou empresa.

Apesar disso, El Salvador tornou-se em 2021 o primeiro país do mundo a adotar Bitcoin como moeda corrente.

Como funcionam com uma tecnologia descentralizada, chamada Blockchain, as transações de criptomoeda não requerem intermediários ou um órgão para validá-las.

Por meio de uma gigantesca rede de computadores com "nós" espalhados por todo o mundo, ele utiliza métodos criptográficos para proteger as informações contidas nas transferências de dinheiro e na criação de novas unidades.

Essa autonomia de funcionamento torna os milhões de dólares que circulam em suas redes difíceis de controlar e fiscalizar por parte de governos, bancos centrais e órgãos reguladores.

ESTAMOS NO MEIO DE UMA ENCRUZILHADA

Do outro lado da frente de batalha, estão aqueles que promovem o uso das criptomoedas e estão convencidos de que sua expansão é inevitável.

Não apenas as veem como uma oportunidade de investimento lucrativa no longo prazo, mas como uma mudança de paradigma no sistema monetário internacional.

Eles acreditam que este mercado vai sacudir o mundo da política, da economia e das finanças.

Irei mencionar neste momento algumas das maiores autoridades mundiais quando o assunto é criptomoedas e seu impacto na economia global.

"Estamos numa encruzilhada" diz Javier Pastor, diretor comercial da plataforma de negociação de criptomoedas Bit2Me, em entrevista à BBC News Mundo, serviço em espanhol da BBC.

"As criptomoedas vão mudar o mundo da mesma forma que a internet mudou", acrescenta ele, garantindo que estamos testemunhando o nascimento de uma nova etapa na história da evolução do dinheiro.

"O dinheiro que os bancos centrais imprimem infinitamente não valerá absolutamente nada em alguns anos. Ele morrerá diante da inovação tecnológica que são as criptomoedas", afirma.

Um dos defensores mais famosos do Bitcoin e das criptomoedas é Jack Dorsey, CEO do Twitter e do Square.

"O Bitcoin muda tudo... para melhor", ele tuitou. E em outra postagem, escreveu que nenhuma pessoa ou instituição "será capaz de mudá-lo ou detê-lo".

Dorsey está tão convencido disso que, em 2018, declarou acreditar que o Bitcoin será "a única moeda do mundo em 10 anos".

E em janeiro deste ano, quando a Rede de Controle de Crimes Financeiros (FinCen, na sigla em inglês) propôs a criação de uma lei exigindo que as empresas informassem os nomes e endereços de pessoas que efetuam operações com criptomoedas acima de US$ 3.000 mil para monitorar transações ilícitas, Dorsey se opôs em uma carta aberta.

Changpeng "CZ" Zhao, CEO da Binance, a maior plataforma de negociação de criptomoedas do mundo em termos de volume de transações, alertou há alguns dias que era impossível para uma entidade destruir o Bitcoin e sua tecnologia subjacente, o Blockchain. "Não creio que alguém possa apagá-lo agora, visto que esta tecnologia, este conceito, está na cabeça de 500 milhões de pessoas", argumentou ele na conferência virtual Consensus 2021 da CoinDesk. Zhao acrescentou que os governos e organismos reguladores deveriam adotar a tecnologia blockchain e as criptomoedas – e que lutar contra elas é semelhante à rejeição ao modelo de negócios da Amazon no início dos anos 1990.

As criptomoedas não estão aqui para acabar com as finanças tradicionais ou moedas respaldadas pelos governos, mas para trazer mais "liberdade ao dinheiro".

AMEAÇAM A SOBERANIA MONETÁRIA DE QUALQUER PAÍS

"Há pouco dinheiro no mercado de criptomoedas, e elas não representam uma ameaça ao sistema financeiro por enquanto", diz à BBC News Mundo Josh Lipsky, diretor do Centro Geoeconômico da organização de análise internacional Atlantic Council, nos Estados Unidos.

No entanto, ele adverte que seu rápido crescimento em apenas alguns meses fez com que se tornassem mais importantes.

"Em um ano poderemos ver uma expansão maior do mercado de criptomoedas. É por isso que as entidades reguladoras em todo o mundo estão pensando sobre que tipo de novas normas pode ser necessário", afirma Lipsky.

O maior risco das criptomoedas é que "podem ameaçar a soberania monetária de qualquer país", diz o assessor sênior da ex-diretora do Fundo Monetário Internacional (FMI), Christine Lagarde.

"Se você, como Banco Central, não sabe quanto dinheiro foi gasto e transferido em seu país, isso tem implicações enormes para sua política monetária e sobre como você mede a inflação e as taxas de juros. Até mesmo como legisladores e governos definem sua política fiscal", acrescenta.

"Todos os países deveriam estar preocupados com a perda de soberania monetária. Não podem perder o controle de quanto dinheiro se imprime e se gasta."

O DINHEIRO HOJE

Para apresentar com mais clareza esse assunto terei que fazer uma viagem no tempo, ensinando um pouco sobre o dinheiro. Todas essas referências foram retiradas do Livro "Casa da Moeda do Brasil: 290 anos de História, 1694/1984" que, para mim, é um dos melhores livros para quem quer saber mais sobre o nosso dinheiro e economia, de um modo geral e simples.

    A história da civilização nos conta que o homem primitivo procurava defender-se do frio e da fome, abrigando-se em cavernas e alimentando-se de frutos silvestres ou do que conseguia obter da caça e da pesca. Ao longo dos séculos, com o desenvolvimento da inteligência, a espécie humana passou a sentir a necessidade de maior conforto e a reparar no seu semelhante. Assim, como decorrência das necessidades individuais, surgiram as trocas.

    Esse sistema de troca direta, que durou por vários séculos, deu origem ao surgimento de vocábulos como "salário", o pagamento feito através de certa quantidade de sal; "pecúnia", do latim "pecus", que significa rebanho (gado) ou "peculium", relativo ao gado miúdo (ovelha ou cabrito).

    As primeiras moedas, tal como conhecemos hoje, peças representando valores, geralmente em metal, surgiram na Lídia (atual Turquia), no século VII a.C. As características que se desejava ressaltar eram transportadas para as peças através da pancada de um objeto pesado (martelo) em primitivos cunhos. Foi o surgimento da cunhagem a martelo, onde os signos monetários eram valorizados também pela nobreza dos metais empregados, como o ouro e a prata.

    Embora a evolução dos tempos tenha levado à substituição do ouro e da prata por metais menos raros ou suas ligas, preservou-se, com o passar dos séculos, a associação dos atributos de beleza e expressão cultural ao valor monetário das moedas, que quase sempre, na atualidade, apresentam figuras representativas da história, da cultura, das riquezas e do poder das sociedades.

A necessidade de guardar as moedas em segurança deu surgimento aos bancos. Os negociantes de ouro e prata, por terem cofres e guardas a seu serviço, passaram a aceitar a responsabilidade de cuidar do dinheiro de seus clientes e a dar recibos escritos das quantias guardadas. Esses recibos (então conhecidos como "goldsmith's notes") passaram, com o tempo, a servir como meio de pagamento para seus possuidores, por serem mais seguros de portar do que o dinheiro vivo. Assim surgiram as primeiras cédulas de "papel-moeda", ou cédulas de banco, ao mesmo tempo em que a guarda dos valores em espécie dava origem a instituições bancárias.

Os primeiros bancos reconhecidos oficialmente surgiram, respectivamente, na Suécia, em 1656; na Inglaterra, em 1694; na França, em 1700 e no Brasil, em 1808. A palavra "bank" veio da italiana "banco", peça de madeira que os comerciantes de valores oriundos da Itália e estabelecidos em Londres usavam para operar seus negócios no mercado público londrino.

Isso foi uma verdadeira viagem no tempo, não é mesmo? Agora, sabendo um pouco mais sobre o dinheiro como conhecemos até os dias atuais, vou te apresentar a inflação e como ela tem um destaque no nosso momento atual e futuro em relação ao dinheiro e às criptomoedas.

A INFLAÇÃO

Para entender melhor sobre o mundo cripto e as volatilidades que acontecem no mercado, eu não poderia deixar de falar sobre inflação. Pois ela está presente em tudo que gira em torno da nossa economia, seja na venda ou troca de produtos ou serviços, ou possíveis aplicações financeiras.

Saiba que a inflação é o aumento dos preços de bens e serviços. Ela implica diminuição do poder de compra da moeda. A inflação é medida pelos índices de preços, e o Brasil tem vários deles. O Índice Nacional de Preços ao Consumidor Amplo (IPCA) é o índice utilizado no sistema de metas para a inflação.

A inflação pode ter várias causas, que podem ser agrupadas em:

- Pressões de demanda

- Pressões de custos

- Inércia inflacionária

- Expectativas de inflação

- Entre outros...

A inflação gera incertezas importantes na economia, desestimulando o investimento e, assim, prejudicando o crescimento econômico. Os preços relativos ficam distorcidos, gerando várias ineficiências na economia. As pessoas e as firmas perdem noção dos preços relativos e, desse modo, fica difícil avaliar se algo está barato ou caro. Afeta particularmente as camadas menos favorecidas da população, pois essas têm menos acesso a instrumentos financeiros para se defender.

Contudo, este índice alto também aumenta o custo da dívida pública, pois as taxas de juros têm de compensar não só o efeito da inflação mas também incluir um prêmio de risco para compensar as incertezas associadas com o aumento.

OS GOVERNOS E AS CRIPTOMOEDAS

Ao contrário da inflação, a prática de controlar a livre movimentação de capitais entre fronteiras não é milenar. Ela é, na verdade, resultado direto da era dos bancos centrais que teve seu ápice no século passado. Mas, felizmente, essa também é uma das coisas que nenhum governo pode fazer com o Bitcoin.

Os chamados controles de capitais foram bastante utilizados pelos países beligerantes durante a Primeira Guerra Mundial, caindo em desuso pouco tempo depois. Mas com a Grande Depressão e toda a desordem monetária pós-guerra, os governos viram-se novamente obrigados a controlar o fluxo de divisas.

Entretanto, os controles de capitais foram institucionalizados e considerados política monetária essencial dos bancos centrais somente após o acordo de Bretton Woods. O Artigo VI (Transferência de Capital), Seção 3 "Controles de transferência de capitais" inclusive estipulava que os países membros poderiam exercer tais controles "conforme necessários para regular as movimentações internacionais de capital".

A verdade é que controlar os fluxos de capitais era simplesmente a consequência natural de um sistema de câmbio fixo estabelecido em Bretton Woods, em que cada país mantinha uma cotação fixa com o dólar, enquanto este era atrelado ao ouro, fixado a uma cotação de US$ 35 para cada onça do metal precioso.

Em outras palavras, restringir a livre movimentação de capitais era o resultado prático do planejamento central monetário e do controle de preços, afinal de contas, os preços das várias moedas nacionais eram determinados pelos burocratas.

O problema é que a maior parte dos países adorava (e ainda adora) imprimir dinheiro para financiar seus governos. E quando você inflaciona a moeda com maior intensidade do que os demais, as reservas internacionais acabam fluindo para fora do país.

Hoje em dia, quando pensamos em controle de capitais, logo imaginamos a Argentina ou a Venezuela. Mas, em um passado não muito distante, nações desenvolvidas também adotaram políticas dessa natureza. Na década de 1960, por exemplo, os cidadãos britânicos eram impedidos de levar consigo mais do que £50 em viagens ao exterior (equivalente a mais de £500 pelo poder de compra atual). Porém, o colapso do sistema de Bretton Woods significou também o fim dos controles de capitais na maioria dos países desenvolvidos.

No Brasil, já vivenciamos e continuamos a vivenciar todos os tipos de controle de capitais. Há pouco mais de duas décadas, era vedado a qualquer brasileiro o uso de cartão de crédito no exterior. Nos anos de 1980, o mercado negro do dólar era um refúgio a quem quisesse proteger-se da depreciação da moeda nacional.

Ainda hoje, brasileiros são proibidos de manter conta bancária em moeda estrangeira em bancos estabelecidos no país e remessas de dinheiro acima de US$ 3.000 por mês devem ser devidamente justificadas perante o Banco Central. Compras no exterior com cartões de crédito sofrem incidência de 6,38%, cobradas convenientemente na sua fatura no final do mês. E, desde o presentinho de Natal da ex-presidente Dilma, saques no exterior, traveller checks e cartões pré-pagos também passaram a ser taxados com o IOF de 6,38% – tudo pela isonomia tributária, é claro.

Transferências de capitais mais volumosas para compra de ações, investimento direto, empréstimos etc., também acabam sendo penalizadas por taxas ou outras restrições impostas pelo governo em questão.

O fato é que controles de capitais somente são necessários em um arranjo monetário estatal em que o governo busca administrar o câmbio, atrelando-o a uma moeda forte, mas sem a disciplina fiscal e monetária imprescindível para tal missão. E a intensidade desses controles é diretamente proporcional ao tamanho da dívida pública externa de um país.

Na Argentina atual, nenhuma empresa estrangeira pode repatriar os lucros de suas operações. É proibido. Remeter moeda estrangeira pelo sistema bancário para fora do país é simplesmente impossível. Além disso, nenhum cidadão pode comprar dólares livremente – somente no mercado negro.

A situação é essencialmente idêntica na República Bolivariana da Venezuela; a variação é unicamente de grau. No mercado paralelo, o câmbio do bolívar é cerca de dez vezes superior ao oficial.

Mas e como os governos conseguem impor e fazer cumprir tantas restrições à livre movimentação de capitais? Existem algumas formas. Uma delas é monopolizar a compra e venda de divisas em um país. Outra, é controlando o sistema bancário por meio de um Banco Central e órgãos reguladores, o que ocorre na maior parte dos países modernos.

Os bancos são coagidos ou coniventes a cooperar com os governos para fazer valer um controle eficiente da transferência de capitais entre fronteiras.

Imagino que você esteja se perguntando:

Mas como coagir em um sistema como o Bitcoin? Como impedir transferências de valores em um sistema que carece de intermediários, em que as transações ocorrem diretamente entre duas partes? Como cobrar impostos sobre operações financeiras de uma compra feita com Bitcoins no exterior? Como identificar o que é exterior e doméstico em um sistema financeiro em que não há fronteiras – uma plataforma realmente global?

De fato, é simplesmente impossível. Não há como impor controles de capitais em um sistema como o Bitcoin. É claro que os governos podem buscar restringir a compra e venda de Bitcoins por moeda nacional, reprimindo as exchanges ou qualquer empresa dedicada a esse negócio. Embora seja possível complicar a venda de Bitcoins em um mercado organizado, não há como impedir a livre transferência de fundos pelos usuários da moeda digital.

Pela primeira vez na história, temos um sistema financeiro com potencial de cercear não o cidadão, mas, na verdade, a ânsia proibicionista dos governos. À liberdade dos indivíduos, isso é inédito e muito promissor.

Além disso, a ausência de um terceiro de confiança responsável por realizar uma transferência internacional traz outros benefícios, como tarifas de transação incrivelmente baixas. O Bitcoin propicia um potencial de economia em custos de transferências de capital sem precedentes.

A necessidade de controle de capitais é derivada da ingerência estatal da moeda. E quanto piores forem as políticas monetária e fiscal de um país, mais intensos e abrangentes tendem a ser tais controles. Felizmente, os indivíduos agora dispõem de uma plataforma financeira internacional, na qual podem transacionar sem precisar implorar pela bênção do estado em operações perfeitamente legítimas. Impedir a livre movimentação de capitais entre fronteiras é mais uma das coisas que nenhum governo pode fazer com o Bitcoin.

O BITCOIN É IMUNE À INFLAÇÃO?

Os dragões aparecem em praticamente todas as culturas do mundo. Alguns com asas, outros com bigodes, cabeça de leão, escamas, garras, cuspindo fogo ou gelo. São criaturas míticas que ultrapassam fronteiras. Não sem razão, apelidamos a inflação carinhosamente de dragão.

Atualmente, esse dragão está aterrorizando todos os países do mundo. Tanto aqui no Brasil como no exterior, ele mostra suas garras, bate as asas e engole o poder de compra das pessoas por todo o canto. Não há escapatória.

Mas existe um ativo que pode salvar a todos, um ponto de salvação, onde a besta mítica não alcança. Sim, o Bitcoin pode ser considerado um ativo imune à inflação. Entretanto, é preciso levar algumas coisas em consideração.

As criptomoedas nasceram com a ideia de ser um sistema financeiro autônomo, sem a necessidade de um Banco Central por trás. Dessa forma, para colocar novos Bitcoins na rede, é preciso realizar o processo de mineração.

Esse processo basicamente lança novos Bitcoins em rede, valida as transações e torna todo o processo mais seguro. Não há um lastro por trás, diferentemente do que acontece com as moedas tradicionais. Em teoria, os BCs só podem emitir papel-moeda a partir de um lastro, em ouro ou dólar, como é mais comum. Em teoria, porque não é exatamente assim que acontece no dia a dia.

Os Bancos Centrais estão sujeitos às políticas monetárias, que podem mudar com o tempo. O BC pode começar a imprimir mais moeda mesmo sem ter um lastro para ela, o que diminui o poder de compra daquele dinheiro.

Traduzindo e simplificando, o Banco Central pode "criar" dinheiro, mas o Bitcoin tem um limite possível de rede de 21 milhões de unidades. Por ser um ativo limitado, chamamos a criptomoeda de "deflacionária".

Isso quer dizer que o poder de compra da moeda aumenta com o passar do tempo. A partir do momento em que o último Bitcoin for lançado em rede, a lei de oferta e demanda deve passar a imperar, reforçando a característica deflacionária desse tipo de ativo.

O controle inflacionário é uma das questões que preocupa os especialistas com El Salvador adotando o Bitcoin como uma das moedas oficiais do país.

Como o país não controla a emissão da criptomoeda, se for necessário injetar mais dinheiro na economia, como o programa de estímulos do governo americano tem feito com o dólar, não será possível, a menos que se compre mais moeda.

Toda moeda sofre oscilações com a economia, seja de característica inflacionária ou deflacionária. Entretanto, existem situações em que o Bitcoin sai ganhando no poder de compra frente a outras moedas.

O poder de compra do Bitcoin ainda é pequeno frente ao dólar, mas é mais constante do que a moeda norte-americana. O mesmo vale para o real ou qualquer outro dinheiro emitido pelo Banco Central.

Em países da África, onde as economias são constantemente abaladas por choques inflacionários, o uso de Bitcoins já é comum. Mesmo a América Latina tem exemplos parecidos: Venezuela e Argentina usam criptomoedas devido ao pequeno poder de compra de suas moedas locais.

Os moradores desses países veem que, cada vez mais, o bolívar venezuelano ou o peso argentino compra menos artigos. Por outro lado, o Bitcoin segue valorizado e valendo muito, apesar das oscilações. Diferentemente de outros ativos, as criptomoedas ainda não sofreram sua "prova de fogo", sobrevivendo a diversos cenários econômicos. Apesar disso, os especialistas seguem otimistas sobre o uso do Bitcoin como uma reserva de valor e diversificação da carteira para segurar a alta da inflação dos últimos tempos.

Vale lembrar que o investimento em criptomoedas é altamente arriscado e é sempre bom lembrar para você ter cautela na hora de colocar o seu dinheiro em algum projeto, ou investimentos, relacionados ao mundo cripto.

AS VANTAGENS DE UMA SOCIEDADE SEM INFLAÇÃO: UM MUNDO 100% CRIPTO

Para entender melhor esse tema é importante você saber que o Bitcoin é uma das primeiras implementações do conceito chamado criptomoeda descentralizada.

Agora irei te convidar para realizar um teste: pergunte "o que é inflação?" a uma pessoa aleatória. Caso ela seja minimamente informada, te responderá prontamente: "alta generalizada dos preços". Pronto, você terá a confirmação da tese de que 90% das pessoas que compreendem o conceito de inflação acreditam que a consequência da inflação é o que a define, ou seja, atacam a causa e não o efeito.

Mas, então, por que os preços sobem? De forma simplificada, se existe um excesso de moeda, isto corrói o poder de compra e os produtos ficam mais caros. Logo, quanto mais moeda sem lastro em bens reais, menos poder de compra para a população. Se existe mais base monetária, um comerciante, por exemplo, precisará de mais capital para se sustentar, logo terá de aumentar o preço de seus produtos.

Então quem é o responsável pelo estopim do processo inflacionário? O Estado ou as impressoras estatais. No caso brasileiro, o Banco Central autoriza a Casa da Moeda a emitir, objetivando financiar seus gastos e, no limite, tributar a população via imposto inflacionário.

Chegamos a uma questão: se uma das prerrogativas do Estado é ser detentor único e intransferível da emissão de moeda (tanto é que se você decidir criar a sua própria moeda e utilizá-la como meio de pagamentos, as chances de no longo prazo você responder um processo criminal são altas) e, por tal detém esse imenso poder de socializar os prejuízos junto a sociedade, o que aconteceria se esse monopólio fosse quebrado? Se a emissão de moeda fosse descentralizada e impelida ao mercado, de forma que as moedas mais eficientes se ajustassem à demanda existente, pois bem, com Bitcoins isso seria possível.

BITCOINS, EMERGINDO DA DEEP WEB PARA O MAINSTREAM

Bitcoin é a uma das primeiras implementações do conceito chamado criptomoeda descentralizada, apresentado pela primeira vez em 1998 por Wei Dai em um grupo chamado Cypherpunk, porém foi apenas em 2008 que Satoshi Nakamoto (pseudônimo de um grupo de pessoas) ao publicar o artigo científico *The Cryptography Mailing List,* apresentando assim o protocolo original da moeda e, logo em seguida, que em 2009 a rede Bitcoin começou a funcionar com seu primeiro cliente e emissão das primeiras divisas.

"Coin" vem do inglês e significa moeda, "bit" faz referência ao mundo digital, que faz parte de um código aberto e pode ser usado da forma *peer-to-peer* (jargão para uma rede de computadores na qual os usuários são clientes e servidores ao mesmo tempo) e a sua grande diferença é que essa moeda não depende da confiança de nenhum emissor ou Banco Central. E, então, com ela é possível fazer pagamentos eletrônicos e sem nenhum tipo de intermediário como banco, corretor ou casa de câmbio, de qualquer lugar do mundo para qualquer pessoa inserida na rede, podendo ainda ser convertida para as moedas tradicionais. No Bitcoin não há ninguém poderoso demais, com uma caneta na mão, controlando a taxa de inflação da moeda digital. Tudo está no protocolo, escrito em forma de código. No final das contas, é como se o Bitcoin transformasse o sistema bancário em um aplicativo para celular em que cada usuário não tem uma conta, e sim um banco inteiro à sua disposição.

O Bitcoin tem todas as propriedades de qualquer moeda: durabilidade, portabilidade, fungibilidade (uma unidade pode ser substituída por outra de mesmo valor), escassez, divisibilidade e reconhecimento. Ela possui, porém, algumas vantagens em relação às moedas tradicionais, já que existe muito mais liberdade nas transações (que podem ser feitas entre quaisquer indivíduos a qualquer momento): taxas muito mais baixas, segurança (é praticamente impossível forjar cobranças indesejadas ou criar Bitcoins falsos) e transparência.

A transparência decorre do sistema de blockchain que roda nos bastidores do Bitcoin. Trata-se de um sistema que mantém todas as operações registradas e confirma a validade de cada transação, movimento ao qual são criados novos "blocos". Isso é feito através de um sistema de assinaturas digitais correspondentes aos endereços de Bitcoins de cada usuário.

O limite de 21 milhões de unidades torna o sistema Bitcoin deflacionário por natureza, já que atingido esse limite o próprio software se encarrega de impedir novas emissões, isto porque, segundo as regras, não é possível emitir novamente uma moeda perdida ou destruída. Até 2012 era possível criar 50 Bitcoins a cada dez minutos. Essa taxa cai pela metade a cada quatro anos. Hoje ela é de 12,5 Bitcoins a cada dez minutos e cairá pela metade novamente em 2024. Recentemente, o Bank of England elaborou um estudo que teve grande repercussão: modelou uma economia em que a moeda digital seria equivalente a 30% do PIB, os resultados indicaram um aumento de 3% no PIB anual, explicados pela queda substancial dos custos de transações, nas taxas de juros e ganhos de eficiência.

No Brasil, o valor transacionado por Bitcoins já superou o do ouro, segundo dados da BitValor – até junho de 2016 o volume comercializado foi de R$ 164 milhões, superando em R$ 10 milhões as transações.

Muitas pessoas questionam qual país será o primeiro a adotar o Bitcoin como moeda oficial, mas na verdade isso dificilmente irá acontecer. Segundo o especialista na moeda digital Andreas Antopoulos (autor do livro *Mastering Bitcoin*), o país que vai adotar em primeiro lugar a Bitcoin é a internetm e o mais provável é que ela coexista com as outras moedas, assim como o cartão de crédito coexiste com o papel-moeda.

Existe também, do ponto de vista de política econômica, a dúvida sobre qual seria a capacidade para se fazer política monetária com uma moeda não controlada, basicamente todos os instrumentos conhecidos atualmente não funcionariam, portanto, é esperado que as instituições financeiras e Bancos Centrais passem a utilizar primeiro a tecnologia de Blockchain (e todas as suas capacidades) do que de fato adotarem o Bitcoin. No fundo, bancos adoram a tecnologia Blockchain e tentam ignorar os Bitcoins.

Para o Brasil, o Bitcoin é uma grande oportunidade. Por ser um país enorme e com grande parcela da população fora do sistema bancário, o Bitcoin pode ser uma forma de incluir essa população no futuro. Além disso, o sistema bancário brasileiro é um dos mais modernos e tecnológicos do mundo. Muito provavelmente, a maior empresa financeira daqui 20 anos não será um banco e sim uma empresa de tecnologia (como o Uber é hoje no setor de transportes, o Airbnb é no hoteleiro e o Facebook é na produção de conteúdo). Mas os bancos podem ocupar esse lugar se forem ágeis e não resistirem às mudanças.

É evidente que não existem apenas pontos positivos, pois qualquer tecnologia nova apresenta riscos e falhas. A moeda já sofreu diversos ataques especulativos em suas cotações, ciberataques, alta volatilidade, tecnologias concorrentes e mais marcadamente existe um extenso debate sobre a regulamentação e governança das transações. Porém, se comparado à realidade de sua criação, em meados de 2008, atualmente o Bitcoin já é consolidado como um meio de pagamento aceito e amplamente difundido.

Para além de todos esses benefícios, como já citamos, a sua maior benesse seria destituir o Estado de seu poder de carestia via inflação – e por isso mesmo que os BCs e instituições financeiras há tempos acompanham este mercado de perto – possibilitando assim ganhos sociais, econômicos e políticos enormes, empoderando cada vez mais o cidadão e sua livre iniciativa de transacionar recursos.

Em um país como o nosso, com longo histórico de agressões e desrespeito à moeda, seria como refundar todo um sistema. Que venham os bits!

CAPÍTULO 12

VISÃO FUTURA SOBRE O MERCADO

AS CRIPTOMOEDAS E O FUTURO DO DINHEIRO

Há quem afirme que criptoativos são uma reserva de valor, mas a alta volatilidade assusta os possíveis investidores. Satoshi Nakamoto, o pseudônimo criador do Bitcoin, queria que o ativo se tornasse um meio de pagamento. Isso irá se concretizar?

Lembre-se que a utilização de uma moeda, seja ela fiduciária ou digital, depende da crença de quem a utiliza pois, se não houver utilidade, a moeda não terá valor.

No início pode parecer difícil de entender como elas funcionam, mas isso é mais simples do que se imagina. De acordo com o que você aprendeu até aqui, a criptomoeda é um tipo de dinheiro digital. Tecnicamente, ela existe somente online e não é emitida por nenhum governo – como o REAL, DOLAR, EURO, entre outros por exemplos que são emitidos pelo Estado. Na prática, as criptomoedas permitem uma liberdade individual e por essa razão elas estão se tornando cada vez mais comuns no mundo.

O FUTURO DAS CRIPTOMOEDAS É PERPÉTUO?

Você compraria um dólar ou um Ibovespa perpétuos? Se a resposta for sim, infelizmente você ainda não consegue fazer isso. Mas o Bitcoin perpétuo já está disponível.

A criptomoeda como investimento já está por aí há um tempo. Embora ainda sejam poucos os que se arriscam nesse mercado, o conhecimento sobre o assunto está se espalhando e ficando cada vez mais consolidado.

Muitos agentes do mercado financeiro tradicional já entenderam o potencial desse segmento e estão agora vendo formas de se estruturar para englobar isso no seu portfólio de investimento.

Fatos como o da Microstrategy, que foi a primeira empresa listada em Bolsa a colocar seu caixa em Bitcoin; ou o da Tesla que, recentemente, seguiu o mesmo caminho, devem ser cada vez mais constantes.

É um movimento que está começando, como é dito popularmente no mundo de startups: "nada acontece, até que acontece". Para muitos investidores e estudiosos, foi em 2021 que começou a fase exponencial do processo de adoção dessa tecnologia.

Tenho visto inúmeros projetos interessantes, sejam no mundo de DEFI (finanças descentralizadas, na sigla em inglês) ou de CEFI (finanças centralizadas, onde estão as Exchange crypto, por exemplo). Esses projetos, além de utilizarem tecnologias novas, em geral resolvem um problema, o caso do futuro das criptomoedas é um deles.

Normalmente, quando falamos de futuro, estamos tratando de um mercado derivativo com data para terminar. No caso do dólar futuro da B3, por exemplo, há um vencimento em todo dia primeiro de cada mês.

Isso implica que, se você quiser continuar com a posição após o seu vencimento, você tem que fazer o que chamamos de rolagem (comprar o que está vencendo e vender o mais longo, caso sua posição seja vendida).

Isso envolve controle, organização, corretagem, spread pago e muitas outras coisas que podem até tirar a vantagem de se estar operando no futuro em relação ao spot (contrato à vista), nomeadamente, a facilidade de se alavancar.

O que as Exchanges crypto fizeram para resolver isso foi criar um futuro perpétuo. Sem vencimento. A princípio, a ideia parece intrigante.

Futuro perpétuo? E ele até é, de certa forma. Porém, na prática, ele acaba funcionando como um futuro que vence todo dia, e para que o preço dele fique mais próximo do spot, há um mecanismo de ajuste.

Esse mecanismo faz com que haja incentivo para agentes venderem o futuro caso ele esteja mais alto do que o spot e o inverso, caso o futuro esteja abaixo do contrato à vista.

As vantagens desse futuro perpétuo para quem o opera são: a possibilidade de se conseguir alavancagens maiores nas posições (algumas Exchanges chegam a dar 125x de alavancagem nos futuros, ao passo que para o spot não ultrapassa 25x), liquidez (em muitos momentos maior do que o mercado a vista), taxas de transação menores, não ser necessário rolar as transações, entre outras.

No final das contas, ele é muito similar a um spot, só que com todas as vantagens acima.

Mesmo pensando que você não irá alavancar, irá comprar somente uma vez o que deseja, o fato de ter uma taxa de transação mais baixa é um incentivo a ser considerado e pode ficar mais barato mesmo considerando a margem requerida para isso.

Vale ressaltar que qualquer nível de alavancagem pode te expor a perdas consideráveis e tem que ser usado com muita parcimônia, ainda mais quando falamos de níveis muito altos, em que uma pequena variação no preço do ativo pode te levar a perder todo o capital depositado em margem.

O que acho mais curioso nesse processo é que esse tipo de produto nunca apareceu nas inúmeras bolsas tradicionais que já negociei. Imagino que hoje todas devam estar de olho nisso. Não me surpreenderia se alguma delas lançasse em breve um futuro perpétuo, pois para as tesourarias de banco ou indivíduos que negociam ativos tradicionais, por exemplo, seria um instrumento muito útil.

VOLATILIDADE

O universo das criptomoedas é extremamente volátil. Há dias em que a alta ultrapassa os 10%, mas outros em que a queda pode até dobrar. Ainda assim, a principal criptomoeda do mercado, o Bitcoin, renovou sua máxima histórica no mês de abril de 2021, momento em que sua cotação chegou a US$ 64,3 mil.

Segundo Ney Pimenta, CEO da Bitpreço, marketplace brasileiro de criptos, o Bitcoin manteve estabilidade nos preços nos últimos três meses, mas segue com tendência de alta por conta dos novos entrantes no mercado. Vale lembrar que o mercado de criptomoedas já atingiu a marca dos US$ 2 trilhões em capitalização de mercado.

> "A dominância do Bitcoin tem diminuído porque muitos investidores têm tirado dinheiro e transferido para criptomoedas alternativas, na busca de rendimentos maiores", diz Pimenta.

A volatilidade das criptomoedas é um dos fatores que mais assombra investidores desses ativos. Moedas como Bitcoin (BTC) e Ethereum (ETC) ainda fazem parte de um mercado pouco consolidado, que sofre influências de causas tradicionais, como oferta e demanda, e também de fenômenos recentes gerados pelas redes sociais.

Em março de 2021, Elon Musk, CEO da Tesla, anunciou em seu Twitter que suspenderá o uso de Bitcoin na venda de veículos da montadora por conta do grande impacto ambiental que a mineração da criptomoeda tem no planeta. Sua declaração fez as cotações desabarem mais de 10% em um único pregão.

Também neste mês, a cotação da Dogecoin (DOGE) chegou a disparar 30% após outro tuíte de Musk. Dessa vez, o bilionário revelou que estava trabalhando com os desenvolvedores da criptomoeda, que foi criada como uma brincadeira, para melhorar a eficiência das transações do sistema. Especialistas alertam que a Dogecoin não tem fundamentos.

Além desses ruídos nas redes sociais, a pouca regularização do mercado está entre as principais causas da variação de preços das criptos. Essas moedas ainda estão livres de regulamentações governamentais, embora a China tenha dado indicações recentes de apertar o cinto.

Além disso, as criptomoedas podem ser negociadas 24 horas por dia, todos os dias, em escala global, o que gera maior volatilidade na comparação com mercados tradicionais.

A DIVERSIFICAÇÃO

Diversificar a exposição do patrimônio é uma das chaves para uma carteira de investimentos bem alocada. Ray Dalio, fundador da Bridgewater Associates, uma das maiores gestoras do mundo, responsável por cerca de US$ 150 bilhões em ativos, defende que o investidor deve ter de dez a quinze bons investimentos não correlacionados. Ou seja, que não estejam sujeitos às mesmas influências de mercado.

Em linha com a visão do gestor, Palomo aconselha que o investidor de criptomoedas não aloque toda a sua parcela de risco unicamente em criptoativos. "O risco da carteira deve ser distribuído. Em conjunto com o Bitcoin, por exemplo, o investidor pode aplicar em ações arriscadas de setores diferentes. Investir em fundos de alto risco que possuam estratégias alternativas também é uma boa opção."

O FOCO NO LONGO PRAZO

Apesar de muitas criptomoedas estarem no mercado há mais tempo, sua negociação em larga escala é recente. O Bitcoin é uma delas. Mesmo criada em 2009, a euforia do mercado é novidade e, por esse fator, Samir Kerbage, da Hashdex, acredita que, no longo prazo, a moeda pode dar mais tranquilidade aos investidores.

Segundo Kerbage, se o Bitcoin for adotado por uma grande parte da sociedade e investidores institucionais, a negociação da moeda poderá atingir escala bilionária e gerar maior estabilidade de preço. "Hoje, o Bitcoin não é uma boa moeda, porque não é utilizado no comércio em grande volume. Mas a comunidade do Bitcoin acredita que o ativo poderá ser considerado uma moeda cotidiana assim que conquistar o posto de reserva de valor".

Na visão do CTO da Hashdex, o Bitcoin pode se tornar uma reserva de valor como o ouro no longo prazo, uma vez que a sociedade está cada vez mais imersa no meio digital. "Contudo, é necessária uma mudança geracional que pode levar décadas."

ESTIMATIVAS PARA O BITCOIN

Assim como com o dólar, fazer estimativas para o preço do Bitcoin não é uma tarefa fácil. As corretoras não fazem projeções, mas acompanham o mercado por meio de estatísticas e modelos econométricos que oferecem certa previsão.

Um dos modelos é o Stock to Flow, – em tradução livre significa taxa de escassez. Na prática, ele mede a taxa de mineração da moeda, ou seja, o quanto de Bitcoins é colocado na rede, em função de quanto já existe em circulação. O executivo explica que a estratégia foi adaptada de outro modelo, utilizado para mensurar metais preciosos como o ouro, onde também se calcula a proporção de quanto é minerado nas jazidas frente ao estoque existente.

O FUTURO DO BITCOIN

Segundo o próprio mercado, empresas de avaliações e dados, investidores e a mídia, o Bitcoin no futuro tende a funcionar mais como uma reserva de valor semelhante ao ouro ou dólar, para proteger o poder de compra dos investidores em épocas de crise, do que realmente como um investimento.

Isso porque, tal como o ouro e dólar, investir em Bitcoin não faria sentido ao longo prazo uma vez que esses ativos não geram caixa. Em vez disso, tem altos e baixos conforme a busca por proteção e, ao longo prazo, os ganhos tendem a ficar estáveis.

É preciso destacar, porém, que dificilmente esse mecanismo financeiro deverá ser visto como investimento e, assim como o ouro, deve ser considerado como uma reserva de valor que foi criada recentemente. Portanto, de fato, investir em Bitcoins não se traduz numa aplicação sustentável no longo prazo.

Com a queda dos últimos meses, a moeda está se comportando de forma mais próxima a uma moeda forte, ou seja, após alguns altos e baixos, os ganhos revertem para a média.

O Bitcoin é uma reserva de valor e que, em um futuro mais distante, a volatilidade da criptomoeda deve ser menor. Porém ainda tem muito chão para valorização e a ampliação do escopo de usabilidade do ativo, com a adição de outras funcionalidades.

Até mesmo a Forbes já chegou a dar um parecer sobre a sua visão de futuro das criptomoedas e Bitcoin. Sean Stein Smith, professor da Universidade da Cidade de Nova Iorque e colunista do veículo de informação sobre negócios e economia, listou cinco previsões sobre o Bitcoin, criptomoedas e tecnologia blockchain para o próximo ano.

BITCOIN EM 2021

Segundo Smith, o Bitcoin fecharia 2021 acima dos US$ 30 mil, ou seja, mais de R$ 153 mil com a cotação atual.

Embora pareça uma previsão conservadora, ele afirma que os preços não sobem para sempre.

Por outro lado, devido ao grande apoio institucional que o Bitcoin vem recebendo, as tendências de preço recentes têm suporte.

STABLECOINS EM 2021

Para o professor, as stablecoins irão liderar o caminho em 2021. Isso porque essas criptomoedas estão rapidamente se tornando um ponto de entrada para uma adoção mais ampla:

"Com um valor de mercado de dezenas de bilhões e servindo como uma ponte para os processadores de pagamentos, a utilização mais ampla de stablecoins parece uma previsão que faz sentido comercialmente razoável", disse Smith.

MOEDAS DIGITAIS DE BANCO CENTRAL EM 2021

As Moedas Digitais de Banco Central (CBDCs, na sigla em inglês) devem ser lançadas no próximo ano.

O colunista acredita que a ascensão das CBDCs está quase garantida. Nesse sentido, a única questão que resta é saber o momento exato desse lançamento.

"Com os esforços em andamento em todo o mundo, o único item não resolvido é qual nação implantará uma CBDC primeiro", disse.

Entretanto, junto com essas implementações, virão as preocupações em torno da privacidade e segurança. Assim, serão "tempos emocionantes", como destacou Smith.

EXECUÇÃO FISCAL EM 2021

O professor observou que em 2021 a execução fiscal aumentará. Segundo ele, os movimentos recentes da Receita Federal dos EUA indicam a seriedade com que a execução de cripto-impostos será tratada no futuro.

Além disso, Smith destacou que os impostos sobre criptoativos não serão um problema exclusivo dos EUA. Afinal, com o aumento dos preços das criptomoedas em 2020, espera-se que as autoridades fiscais de todo o mundo fiquem ainda mais atentas a essa receita potencial.

BLOCKCHAIN EM 2021

A tecnologia blockchain deve se expandir para além dos serviços financeiros, disse Smith.

De acordo com o professor, 2021 parece ser o ano em que a blockchain se tornará ainda mais popular. Por conta disso, a tecnologia alcançará uma gama muito mais ampla de setores econômicos. Ele citou especificamente os setores de saúde, transporte e logística como áreas que podem se beneficiar de uma adoção mais ampla da blockchain.

AS BOLSAS DE VALORES

Enquanto muitas bolsas no mundo vêm subindo neste ano, com as economias de diversos países aguardando recuperação pós-pandemia nos próximos meses, um segmento em especial no mercado financeiro vem sofrendo um dos seus maiores reveses entre 2018 e 2021: as criptomoedas.

As criptomoedas estiveram entre os ativos mais valorizados ao longo da pandemia – com alta superior a 400%.

Em 2020, o valor do Bitcoin saltou 255% – indo de US$ 9.350 em janeiro para US$ 33.114 no fim do ano.

E no começo de 2021, menos de três meses de diferença, esse valor praticamente dobrou para US$ 59 mil, antes de cair em maio para abaixo de US$ 34 mil.

As flutuações de valor do Bitcoin costumam ser violentas – tanto para cima quanto para baixo –, mas os motivos que determinam esta volatilidade são menos claros para especialistas e analistas de mercado.

Como acontece com diversos outros produtos financeiros, a cotação das criptomoedas costuma variar de acordo com o noticiário sobre o setor.

E os últimos meses foram particularmente agitados no noticiário sobre criptomoedas:

Em fevereiro de 2021, a empresa de carros elétricos Tesla anunciou que começaria a aceitar pagamentos em Bitcoin na venda de seus veículos. Mais do que isso, o próprio balanço financeiro da empresa revelou que ela tinha US$ 1,5 bilhão em Bitcoins. Os anúncios levaram a uma alta de 14% na criptomoeda, com a cotação atingindo US$ 44 mil.

Em março de 2021, a cotação da moeda ultrapassou a marca de US$ 59 mil com a notícia de que a empresa de pagamentos PayPal passaria a permitir que consumidores americanos usassem o Bitcoin para pagar em diversas lojas no mundo que aceitam PayPal. O anúncio original do projeto, feito em outubro do ano passado, já havia provocado uma alta repentina na moeda na ocasião.

No entanto, más notícias começaram a reverter a tendência de alta do Bitcoin. Primeiro, houve o recuo da Tesla na sua intenção de aceitar criptomoedas para a compra de carros – provocando uma queda de 10% no valor do Bitcoin. O fundador da Tesla citou a preocupação ambiental como motivo pela decisão, já que o processo de mineração de criptomoedas (que é a forma como elas são emitidas digitalmente) consome energia demais.

Em seguida, a moeda voltou a cair cerca de 10%, com autoridades chinesas proibindo bancos e firmas de pagamento de fornecer serviços relacionados a transações de criptomoedas. A China também alertou os investidores contra a negociação especulativa de criptomoedas.

O Banco Central americano disse que vai querer apertar o cerco contra empresas e milionários americanos que usam criptomoedas para evitar pagar impostos. As autoridades estudam cobrar impostos em ativos de criptomoedas em carteiras avaliadas em mais de 10 mil dólares – o que repercutiu negativamente entre investidores em criptomoedas.

Na mesma semana, o novo diretor da Comissão de Valores Mobiliários dos EUA, Gary Gensler, afirmou que é preciso haver maior regulação em mercados de criptomoedas.

Mais do que só o noticiário, as criptomoedas vêm enfrentando também uma espécie de crise de identidade nos últimos anos que tem sido determinante na volatilidade recente desses ativos.

Existe uma grande controvérsia nas comunidades tecnológica e financeira sobre qual é o valor real das criptomoedas para a sociedade. Elas seriam realmente uma inovação no sistema monetário internacional – capazes de um dia suplantar as moedas tradicionais? Ou seriam apenas um mecanismo de especulação sem valor intrínseco algum – e fadadas a desaparecerem quando "a bolha estourar"?

Quando o Bitcoin foi inventado em 2009, por uma pessoa misteriosa (ou coletivo de pessoas, talvez) conhecida apenas como Satoshi Nakamoto, acreditava-se que as criptomoedas poderiam ser uma espécie de futuro das moedas e dos sistemas de pagamento.

As criptomoedas também têm muitos críticos. Alguns deles dizem que a promessa de inovação como tecnologia de pagamentos nunca foi cumprida.

"Já sabemos há uns anos que Bitcoin não funciona como um meio de pagamento mainstream. Sua capacidade é muito baixa. Ele só consegue suportar cerca de sete transações por segundo, o que é bastante imprestável para o sistema global de transações. E quando as transações começam a aumentar em volume e o preço sobe, as tarifas começam a ficar altas demais", disse à BBC Frances Coppola, autora e especialista em criptomoedas.

Outro problema levantado é a altíssima pegada ambiental das criptomoedas. O processo conhecido como mineração – usado para validar transações em criptomoedas – consome quantidades enormes de energia elétrica.

No entanto, a grande maioria dos computadores envolvidos na tentativa fracassa – consumindo enormes quantidades de energia elétrica que são desperdiçadas do ponto de vista ambiental.

O Centro de Finanças Alternativas (CCAF), um instituto de pesquisas da Universidade de Cambridge, calcula que o consumo total de energia do Bitcoin é de algo entre 40 e 445 terawatts-hora ao ano (TWh). Outro problema é que as criptomoedas vêm atraindo mais pessoas devido ao seu alto poder de especulação financeira do que por sua capacidade inovadora como meio de pagamento.

Em apenas alguns anos, o Bitcoin valorizou-se 56 vezes. Uma estimativa afirma que quase 100 mil americanos se tornaram "criptomilionários" por adquirirem as moedas – mas esse número é difícil de ser confirmado de forma independente.

No começo, as criptomoedas eram restritas apenas a pessoas com algum conhecimento em tecnologia – já que todo processo para aquisição de uma moeda envolvia a criação de uma carteira especial para armazenar a chave da moeda (que é usada pelo dono da moeda para acessar seu dinheiro). Esse processo envolve certos riscos – como o de perder a chave ou ter seus dados roubados por um hacker.

Mas nos últimos anos as criptomoedas ficaram muito mais fáceis de serem adquiridas pelo público não especializado em informática, já que passaram a ser oferecidas indiretamente como partes de produtos financeiros em bancos e corretoras.

Em vez de uma carteira para criptomoedas, é preciso apenas ter uma conta comum em banco ou corretora que ofereça esse produto. No ano de 2021, foram lançados fundos de investimentos cujos recursos estão aplicados em criptomoedas em corretoras brasileiras. É importante salientar que parte do recurso investido nesses fundos ainda é atrelado a papéis do Tesouro brasileiro, como forma de expor investidores apenas parcialmente à flutuação das criptomoedas.

Em abril de 2021, a Bolsa brasileira começou a negociar o primeiro ETF (Exchange-traded fund), uma espécie de fundo de investimento que funciona como se fosse uma ação, em criptomoedas.

O lançamento foi considerado um sucesso e em poucos dias o ETF captou R$ 1 bilhão, se tornando o terceiro maior ETF da bolsa brasileira.

Ou seja, é possível comprar e vender ativos cuja cotação acompanha a das criptomoedas com uma simples operação de compra e venda na bolsa que dura segundos. A volatilidade do ETF brasileiro de criptomoedas é semelhante ao da cotação das criptomoedas – o preço do ETF já variou 56% em apenas um mês de existência, permitindo ganhos (e perdas) relativamente grandes a investidores.

Outro problema que surgiu recentemente para os entusiastas das criptomoedas é a regulação, que praticamente inexiste hoje. Mas autoridades reguladoras dos EUA e da China já sinalizaram que pretendem criar leis e melhorar a tributação desta classe de ativos, o que pode torná-los menos atraentes no futuro.

Mais de uma década desde a sua criação, o Bitcoin continua dividindo opiniões na comunidade financeira internacional.

Não existe um consenso sobre se a moeda vai realmente se estabelecer no futuro, ou se um dia a "bolha vai estourar".

Mas alguns bancos tradicionais, como Goldman Sachs e Morgan Stanley, que no passado duvidaram das criptomoedas, recentemente abraçaram a nova tecnologia e lançaram operações nesses ativos para seus clientes.

Mas as criptomoedas seguem sofrendo resistências de diversas outras vozes.

Novos discursos se levantaram contra o uso do Bitcoin – entre eles o do vice-presidente do Banco Central Europeu, Luis de Guindos. "Quando você tem dificuldades para descobrir quais são os verdadeiros fundamentos de um investimento, então o que você está fazendo não é um investimento real", disse Guindos sobre criptomoedas, em entrevista. "Este é um ativo com fundamentos muito fracos e que estará sujeito a muita volatilidade. No Brasil, até o próprio Banco Itaú já começou negociar investimentos em criptoativos.

No mesmo dia, o economista Paul Krugman, vencedor do Prêmio Nobel e crítico de longa data das criptomoedas, escreveu: "Hoje em dia usamos o Bitcoin para comprar casas e carros, pagar nossas contas, fazer investimentos comerciais e muito mais... Oh, espere. Nós não fazemos nenhuma dessas coisas. Doze anos depois, as criptomoedas quase não desempenham nenhum papel na atividade econômica normal".

"Já participei de várias reuniões com entusiastas da criptomoeda e/ou blockchain (a tecnologia das criptomoedas). Nessas reuniões, eu e outras pessoas sempre perguntamos, da maneira mais educada possível: 'Que problema essa tecnologia resolve? O que ela faz que outras tecnologias, muito mais baratas e fáceis de usar, não podem fazer tão bem ou melhor?' Ainda não ouvi uma resposta clara. Mesmo assim, os investidores continuam pagando grandes quantias por esses tokens digitais".

Também, o diretor do Banco Central americano (Federal Reserve), Jerome Powell, surpreendeu ao anunciar que o próprio órgão acompanha de perto as criptomoedas e pode vir a adotar algum tipo de tecnologia para lançar uma moeda digital própria.

Em março de 2021, ele havia criticado fortemente o Bitcoin por não cumprir uma das funções primordiais das moedas, que é a de servir como reserva de valor. Powell disse então que o Bitcoin se comporta hoje mais como um substituto do ouro do que do dólar – servindo mais como mecanismo de especulação do que para reserva de valor.

O FUTURO DO SISTEMA FINANCEIRO

Em uma entrevista, o Presidente do Banco Central do Brasil deu seu parecer sobre o futuro do sistema financeiro, e é sobre isso que eu irei te apresentar agora.

"A gente imagina que o sistema do futuro é quase inteiro digital e culminando com o que a gente chama de moeda digital, que é o que a gente vê lá na frente", disse o presidente do BC, na abertura do evento Conexão PIX, que foi gravado em seis de julho em 2021, mas exibido apenas em oito de julho do mesmo ano pelo Banco Central no YouTube.

Por conta desse entendimento, Roberto Campos Neto disse que o objetivo da autoridade monetária "é transformar a intermediação financeira do futuro". "A gente quer digitalizar as pessoas, digitalizar os processos, gerar competição, diminuir o custo operacional, facilitar acesso de crédito. É um processo muito inclusivo e que vai gerar, no nosso entendimento, um sistema mais equilibrado na frente", contou. O presidente do BC ainda sugeriu que o PIX, sistema de pagamentos instantâneos que o BC lançou este ano, deve ser apenas o início desse processo de transformação digital do sistema financeiro brasileiro.

"O PIX se encontra com o open banking em algum momento. E a gente tem outros projetos paralelos que vão melhorar essa função de intermediação financeira no futuro", declarou o presidente do Banco Central, sem, no entanto, revelar quais são esses planos e sem indicar se eles de fato incluem a criação de uma moeda digital.

Ele destacou, por sua vez, que o PIX será um pilar fundamental deste processo de transformação digital do sistema financeiro. E indicou que essa possibilidade de fazer pagamentos instantâneos vai atender parte da demanda da população que recorreu às criptomoedas nos últimos anos.

Diretor de Organização do Sistema Financeiro e Resolução do Banco Central, João Manoel Pinho de Mello lembrou que o PIX vai oferecer aos brasileiros uma "alternativa de pagamentos rápida, instantânea e conveniente, disponível 24 horas por dia, 7 dias por semana e 365 dias por ano". "Os usuários vão poder fazer todo tipo de pagamento, transferências entre pessoas, pagar estabelecimentos comerciais, contas de concessionárias de serviços públicos e taxas do governo. Oferecendo um sistema rápido, seguro, fácil e barato, o PIX promoverá a eletronização e a digitalização", afirmou Mello.

Ele lembrou ainda que o PIX continuará sendo atualizado com o tempo para trazer novas funcionalidades para os seus usuários e será gratuito para os consumidores. A expectativa do BC também é que as empresas que vão operar esse sistema de pagamentos instantâneos cobrem taxas pequenas, possivelmente mais baratas que as dos cartões de débito e crédito e dos agentes que vão receber esses pagamentos.

Além disso, o PIX vai oferecer aos lojistas uma opção menos custosa de manejar o seu numerário. É que o projeto vai criar um sistema de cashback que permitirá aos brasileiros fazer saques no varejo. "É uma medida muito importante, que chamamos de cashback em alguns países, de fazer uma compra com o meio digital e receber de volta um troco em dinheiro em espécie", lembrou Roberto Campos Neto. Ele acredita que a medida vai reduzir os custos dos comerciantes com a segurança e o transporte do dinheiro em espécie e ainda facilitar a vida dos consumidores na hora de fazer um saque em espécie, sobretudo dos consumidores de cidades do interior que não contam com um banco por perto.

Ou seja, a nossa sociedade já está sendo preparada para esse futuro que é digital, e com o tempo só tende a se aprimorar.

Mas não acaba por aí, pois saiba que a modernização do sistema financeiro brasileiro está a pleno vapor, com a adesão ao PIX crescendo e o sistema ganhando novas funcionalidades. A última divulgada foi o incremento de um mecanismo especial para devolução do PIX, que entrou em vigor a partir de 16 de novembro de 2021, um ano depois do sistema ser liberado para a população.

Essa funcionalidade é importante para facilitar o retorno dos valores perdidos por meio de crimes, fraudes ou falhas operacionais também pela instituição financeira. Hoje, quem recebe um PIX pode efetuar a devolução. Mas com a funcionalidade nova, o sistema de segurança do banco ou instituição poderá efetuar o estorno pelo mecanismo especial, tendo de informar tempestivamente ao usuário sobre a devolução.

O Banco Central e as instituições participantes do PIX têm pensado na segurança do sistema desde o seu lançamento, mas já perceberam que precisam incentivar ainda mais as campanhas de conscientização. No final de abril deste ano lançaram o mote "O PIX é novo, mas os golpes são antigos", com o objetivo de alertar e proteger os usuários contra as fraudes mais comuns envolvendo o sistema. Muitos brasileiros ainda temem, entretanto, e desconfiam também do sigilo fiscal.

Desde a adoção do PIX, temos visto a circulação da moeda física diminuir aos poucos no país. Com a pandemia, desde março de 2020, mais pessoas passaram a usar a moeda em papel, não somente nas transações de troca do dia a dia, mas também como guarda de valores, em razão do medo do desconhecido. Todavia, de 30 de outubro de 2020 até 22 de junho de 2021, os dados do Banco Central mostram que o volume em circulação de moeda impressa em papel reduziu 7,6%. Em termos de valor, a queda foi de 5%.

As pessoas estão mais resilientes na pandemia e aos poucos estão mais confiantes em usar os meios de pagamento digitais como o PIX e o pagamento por aproximação.

O Open Banking também tem avançado nas etapas consideradas mais viáveis para o momento. Como forma de experimentar maior concorrência por informações bancárias, o Banco Central colocou em funcionamento, desde 7 de junho de 2021, a possibilidade de os varejistas utilizarem os recursos que irão receber com as vendas no cartão de crédito como garantia para empréstimos.

A principal mudança com essa medida é que o empresário não precisa mais dar como garantia todos os recursos adquiridos por meio do cartão de crédito, só o valor correspondente ao empréstimo que está solicitando. Essa parcela será separada por registradoras autorizadas pelo BC, para garantir que o valor não seja utilizado em múltiplas operações. Com esse novo modelo, o empreendedor não precisará mais comprometer todos os seus recursos, podendo geri-los de forma mais eficiente.

Além disso, os bancos terão acesso, caso o lojista permita, ao volume de recursos que ele tem a receber pelas vendas com cartão de crédito, o que amplia a transparência e a concorrência. Com isso, os empréstimos podem crescer e os juros dessas operações podem diminuir.

Essa redução será incentivada pela competição entre as instituições financeiras, que estarão constantemente ajustando suas tarifas para atrair os clientes. Essas e outras vantagens sentidas pelos empresários serão repassadas ao consumidor final, beneficiando também a população.

A maior transparência e concorrência no sistema financeiro já produz efeitos: o saldo do crédito transferido entre instituições financeiras aumentou 6,5% em 2020. Contudo, o número de pedidos de portabilidade de crédito recuou 19,1% no mesmo período. O cidadão comum ainda precisa sentir os benefícios da redução do custo das operações.

Todas essas modernizações dão suporte ao projeto do Banco Central do Real Digital, que deve ser implantado em dois ou três. Outros países também estão avançando nos estudos de suas próprias moedas, as CBDC, sigla em inglês. Os Estados Unidos devem lançar em breve um artigo sobre o tema, para que os agentes possam opinar. Os bancos no país norte-americano não estão muito contentes, naturalmente, pois terão de alterar seus modelos de negócios.

Para o Banco Central Europeu, um dos fatores mais importantes dessas moedas lastreadas no sistema financeiro oficial é a garantia de valor. Além disso, dará maior segurança à população, pois os Bancos Centrais não têm interesse de guardar ou negociar os dados pessoais dos usuários do sistema, diferentemente das instituições privadas. Com isso, a privacidade da população estaria mais preservada.

O Brasil está realmente avançando no estabelecimento do sistema financeiro do futuro, com iniciativas tecnológicas e de desburocratização, como as novas funções do PIX, a integração de dados pelo Open Banking, o real digital, além da nova lei do câmbio. Estamos democratizando os serviços financeiros gradativamente, mas nunca é demais frisar que, para que o futuro seja breve, as pessoas precisam se sentir mais seguras e, para isso, mais informação é uma ferramenta essencial.

O FUTURO DOS INVESTIMENTOS

A queda dos mercados, desde a chegada do coronavírus em 2020, assustou os investidores em um segmento em que as notícias e consequências práticas acabam se espalhando mais rápido que o surto da doença. Antes mesmo de tomar as proporções de uma pandemia, a queda das Bolsas pelo mundo preocupava e refletia o pessimismo global.

Entre o dia 24 de janeiro de 2021, um dia depois do fechamento da cidade chinesa de Wuhan para conter o avanço do novo coronavírus, na época ainda uma epidemia, até o início de março de 2021, o índice Bovespa caiu quase 30% e a cotação do dólar subiu cerca de 14%. Desde então as discussões sobre os impactos econômicos decorrentes da covid-19 não pararam. O que causa um clima de grande incerteza misturado com alguns temores para os investidores. A boa notícia é que dá para conter o pânico e acalmar os ânimos.

Para ajudar com isso, a nossa série sobre as tendências para a vida pós-pandemia aborda as expectativas para os investimentos no "novo normal". Vamos refletir sobre os desdobramentos significativos desse período, além dos possíveis cenários e as oportunidades para os investidores durante e depois da quarentena.

Antes de começar a falar sobre as saídas ou possibilidades para os poupadores ou empreendedores, a discussão gira em torno das oscilações e catalisadores para recessão econômica e, consequentemente, os seus efeitos nos investimentos.

Em um ritmo acelerado, o agravamento da pandemia causa queda expressiva dos ativos financeiros e pulveriza os ganhos. Pouco tempo é suficiente para uma desorganização da economia.

Se fosse para recapitular essa desordem em uma breve linha do tempo de eventos mais significativos, é possível resumir em alguns episódios. Um dos momentos indica uma queda da oferta com a falta de componentes para a fabricação de produtos industrializados. Na sequência, existe a preocupação com os preços das commodities.

A paralisação das empresas chinesas afeta a cadeia produtiva de grandes companhias. O impacto momentâneo reduz gradativamente a demanda por bens e serviços. Outro efeito negativo acontece nas contas externas dos países emergentes.

Depois, a recomendação para evitar sair de casa afeta significativamente os negócios. Em países emergentes e desenvolvidos, a maior parte da população mora em cidades e depende do setor de serviços que representa uma atividade econômica importante.

Até o ano de 2021, todos os argumentos e circunstâncias parecem refletir mais um cenário pessimista. No entanto, não é bem assim. Pelo contrário, apesar da maioria das projeções não serem boas, isso não significa que não exista otimismo dentro da atual realidade. O conhecimento geral de todas as análises traz aprendizado colaborativo e possibilita apostas mais assertivas. Sem ele, as chances de acertos acabam sendo menores. Quem investe tempo entendendo o comportamento dos ativos e a relação com as variáveis econômicas têm melhores condições para tomada de decisões.

A verdade é que o horizonte dos investimentos é o futuro. E isso não é ruim. Aos poucos, os efeitos da pandemia foram diluídos e os bons investimentos alcançaram desempenho positivo. Essa visão é compartilhada por alguns economistas. É o caso de Rob Arnott, presidente da Research Affiliates, uma empresa de assessoria de investimentos e gestão de recursos.

Ele é um dos que enxergam os investimentos como uma corrida de longo prazo. Também é especialista em smart beta (beta inteligente, em tradução livre), estratégia que visa o conceito de busca por lucro sem correr riscos exagerados, basicamente exploração das ineficiências do mercado.

Ou seja, sob essa lógica e tendo em vista o cenário em que vivemos, a tendência é que aconteça descontos no valor de ações de boas empresas, em um momento em que existe aversão aos riscos. A pandemia de coronavírus deixará alguns legados ao mesmo tempo em que redefine a sociedade, os mercados e a geopolítica. As decisões acabarão sendo guiadas por fatores relacionados a esses aspectos que podem ser vistos como agentes de mudanças.

Depois dos dramas econômicos, a geopolítica e a globalização, aos poucos, alteram o direcionamento de seus olhares. A ótica acabará sendo mais para dentro. Dessa forma, vale considerar o apoio aos produtores locais, mais barreiras ao comércio exterior e simplificação das cadeias de produção com maior atenção à tecnologia e privacidade de dados.

Falando em tecnologia, o domínio dela trará vantagens aos investidores do ponto de vista de atração e competitividade. Nesse ponto, basta considerar alguns exemplos, como o crescimento do trabalho remoto, avanço do streaming e comércio eletrônico.

Outro aspecto para considerar são as pessoas e setores mais afetados. Normalmente, onde os impactos são maiores as possibilidades também aumentam. Em relação à população, os jovens são um dos atingidos no momento em que deveriam ser protagonistas no mercado de trabalho e consumo.

Utilizar essa camada da sociedade como exemplo traz outros benefícios. O fato deles serem o grupo com maior potencial para adaptação às novas condições, simplesmente por terem nascido em uma era tecnológica. Tendo isso em mente, as empresas que entenderem melhor essa geração estarão em vantagem na captação de investimentos.

Sobre os setores atingidos, uma das lembranças quase que imediata remete aos sistemas públicos de saúde e os investimentos necessários. Depois da pandemia, eles sairão fortalecidos com oportunidades para medicina preventiva e tecnologia aplicada à saúde.

A pandemia de Coronavírus deixará alguns legados ao mesmo tempo em que redefine a sociedade, os mercados e a geopolítica. As decisões acabarão sendo guiadas por fatores relacionados a esses aspectos que podem ser vistos como agentes de mudanças.

Começar a empreender durante uma crise pode parecer loucura ou não parecer o melhor momento. No entanto, investir em um negócio ainda é uma opção, seja pela necessidade ou por uma aposta no inusitado. Atualmente, as novas demandas do mercado indicam áreas para empreender e perfis dessas pessoas.

Um dos grupos é o dos desempregados que se veem, praticamente, forçados a abrir um negócio. É o chamado empreendedorismo por necessidade. Outra parcela da população já tem a sua empresa, mas precisa fazer algumas reinvenções criativas, nesde período de adaptações. Por último, ainda sobra espaço para os aspirantes. Com dinheiro para investir, eles podem captar as mudanças de hábitos da população e tendências de consumo e, assim, escolher uma área de atuação.

Independentemente do perfil, um dos pontos importantes que pode garantir o sucesso é o diferencial. Conversar com possíveis clientes e entender as carências da região em que está instalado ou vai se instalar é um dos estudos de mercado.

As outras possibilidades vêm de um movimento de observação das circunstâncias. Muita gente vai preferir ficar mais em casa e negócios que tornem a vida mais prática representam uma vantagem competitiva. As vendas à distância são uma das facilidades.

Sugestões para uma vida mais saudável são uma referência. Além de serviços médicos ou seguros de saúde, a tendência é mais busca por alimentação orgânica, exercícios físicos e tratamentos, como fisioterapia e limpeza de pele.

Ter conhecimento e direcionamento certos ajudam que a experiência no mundo dos investimentos seja mais prazerosa e, principalmente, rentável. O momento deve ser visto para os investidores muito além de um período de incertezas, mas uma época de revolução na forma de cuidar do próprio dinheiro.

Até agora, as imprecisões só mostram que antes de qualquer resposta pronta é necessário análise de dados e conhecimento. A melhor alternativa depende do perfil de cada pessoa e disposição ou dinheiro suficiente para riscos.

As opções de investimento variam, entre elas ativos estruturados, ações e fundos, títulos do governo, poupança e CDB. A Bolsa de Valores e Fundos de Investimentos são os que mais possuem oscilação, neste período. Já os investimentos de renda fixa são os mais seguros em épocas de instabilidade. Embora não seja um dos investimentos mais rentáveis, a renda fixa é a mais segura no momento.

Em tempos de crise, a chave para um bom investimento é a informação. Depois disso, o investidor precisa conhecer o seu perfil de risco. A melhor carteira é influenciada por inúmeros fatores.

A maior parcela prefere aplicações conservadoras. Já investidores mais experientes podem enxergar a queda dos preços dos ativos como promoções. É a visão de longo prazo de analisar quais empresas podem valorizar no futuro sem se basear no presente.

Em geral, a recomendação é cautela, principalmente quando se fala em reserva emergencial, justamente o que poderia ter ajudado muitas empresas e famílias que já tinham esse hábito antes da crise. Talvez, a população se conscientize disso depois da pandemia.

Em tempos normais, os planejadores financeiros recomendam guardar o valor equivalente de despesas de três a seis meses. Agora, é bom considerar a soma de doze meses para colocar em uma aplicação que possa ser acionada a qualquer momento, como a poupança ou um fundo de renda fixa de liquidez diária. Se as contas não estão fechando, renegociar as despesas é uma alternativa para mais tranquilidade.

EDUCAÇÃO FINANCEIRA

A educação financeira tem como propósito auxiliar os consumidores na administração dos seus rendimentos, nas suas decisões de poupança e investimento, no seu consumo consciente e na prevenção de situações de fraude.

A mesma não consiste somente em aprender a economizar, cortar gastos, poupar e acumular dinheiro.

É muito mais que isso. É buscar uma melhor qualidade de vida tanto hoje quanto no futuro, proporcionando a segurança material necessária para aproveitar os prazeres da vida e ao mesmo tempo obter uma garantia para eventuais imprevistos.

A famosa fábula da "Formiga e da Cigarra" exemplifica muito bem uma eterna questão que tentamos resolver diariamente: "Será melhor simplesmente aproveitar o dia de hoje ou nos preparar para o futuro?".

Traduzindo isto em um exemplo prático, suponha que você esteja passeando em um shopping e passe por uma loja com aquela roupa fantástica que você sempre sonhou. Você não tem mais dinheiro para o mês. O que você faz?

Compra a roupa no cartão, em três vezes; afinal, você merece. Nunca se sabe o dia de amanhã, mas ele vai ser melhor com esta roupa nova?

Ou não naquele momento. Mas volta para casa e começa a planejar o que fazer para economizar e comprá-la daqui a três meses? Não compra naquele momento e nem depois. Afinal você tem outros objetivos mais importantes e prioritários que você deseja cumprir antes da compra da roupa.

Existe uma resposta correta? Não. Aliás, você pode escolher respostas diferentes de acordo com o momento da sua vida. O mais importante é que você escolha a sua resposta de modo consciente, que conheça as implicações de sua decisão e tenha uma atitude equilibrada. Isto é Educação Financeira.

Agora, sabendo um pouco mais sobre Educação Financeira e porque ela é tão importante, irei te apresentar, algo pouco falado mas extremamente necessário para o seu futuro como investidor e cidadão. Estou falando da Criptoeconomia.

A NOVA EDUCAÇÃO FINANCEIRA

A Criptoeconomia já está sendo considerada por muitos especialistas do mercado financeiro e pelo próprio mercado de cripto, sendo a terceira fase da educação financeira no mundo.

A nova educação financeira traz novos temas essenciais ao mundo cada vez mais digital e a uma sociedade feita de relações customizadas e diretas.

Os programas de educação financeira ganharam intensidade em 2008, ano crucial para tudo que viria pela frente em relação a finanças, por dois motivos: a crise mundial do subprime e a criação da primeira moeda digital, o Bitcoin.

A crise mundial foi originada pelo crescimento sem lastro dos valores das residências, causado pela oferta farta de crédito a juros insignificantes. O sistema de "hipotecas subprimes" financiava famílias em busca de ganhos financeiros com o valor dos imóveis, mas sem condições orçamentárias para assumir os financiamentos.

Foi um misto de alto risco, oferta abundante de crédito e produtos financeiros com alto poder de endividamento das famílias, como os cartões de crédito.

Ficou claro que as medidas a serem tomadas deveriam levar em consideração ações para tratar tanto a oferta quanto a demanda de produtos financeiros. Educação financeira sempre é um remédio para quem oferece e para quem procura crédito e seus produtos derivados. Deve atender à tesoura da oferta e demanda de Adam Smith.

Nos Estados Unidos, a autoridade monetária promoveu programas de letramento financeiro às famílias e procurou regular o sistema de forma ampla, o que não evitou a quebra de instituições centenárias.

No Brasil, foi criada a Estratégia Nacional de Educação Financeira, em 2011, com diretrizes para o ensino de crianças, adolescentes e adultos. Projetos-pilotos atingiram as escolas de ensino fundamental, médio, aposentados de baixa renda e mulheres do programa Bolsa Família. Os resultados foram animadores, mas faltava escala. As iniciativas às famílias de baixa renda representaram a primeira fase da educação financeira no Brasil.

Vencida a primeira etapa, faltava agora ajustar a oferta dos produtos financeiros, principalmente aqueles que poderiam levar as famílias ao superendividamento: o cartão de crédito e o cheque especial, com spreads de três dígitos ao ano. Era o momento de frear o sistema que levava à bola de neve do endividamento, ou seja, a possibilidade de rolar indefinidamente uma dívida com altas taxas de juros.

Foi criado um sistema de gatilhos para alertar o cliente bancário, caso utilizasse níveis altos de crédito rotativo, além de transferir as dívidas para outras linhas, com taxas menores e prestações fixas. A segunda fase da educação financeira no Brasil procurou regular possíveis excessos na oferta de crédito.

A terceira fase da educação financeira no Brasil foi gerada pela mesma crise de 2008. Satoshi Nakamoto, nome fictício de um grupo de pessoas insatisfeitas com os impactos na moeda trazidos pelas políticas dos governos, criou a primeira moeda digital, o Bitcoin.

A nova criptomoeda representava a possibilidade de gerar dinheiro em redes distribuídas, com informações validadas pelos próprios membros da rede, os mineradores, recompensados em Bitcoins caso resolvessem o problema matemático validador do novo bloco de informações, o blockchain.

Outras criptomoedas vieram após o Bitcoin, criadas em redes de blockchain próprias, como a rede Ethereum e muitas delas, lastreadas por ativos tradicionais, como o dólar e o ouro, as chamadas stablecoins. A criptoeconomia de Nakamoto também viabilizou a transformação de ativos reais, como precatórios, cotas de consórcio, empreendimentos imobiliários e até mesmo direitos de clubes de futebol sobre a venda de seus jogadores, para que pudessem ser partilhados e oferecidos ao mercado na forma de ativos digitais, os chamados tokens.

A educação financeira das duas primeiras fases tinha o crédito como seu objeto principal. Os educadores financeiros ensinavam as pessoas a saírem das dívidas, por meio do orçamento doméstico, e a poupar o excedente da renda em ativos de renda fixa ou variável. A nova educação financeira, representada pelos ativos digitais criptografados, a chamada educação criptofinanceira, amplia os conteúdos educacionais e apresenta a possibilidade de as famílias diversificarem sua carteira de investimentos, com o advento dos tokens.

Uma pessoa que milita na causa climática pode adquirir um token de investimentos ligados a projetos de combate às mudanças climáticas, por exemplo. A educação financeira digital precisará englobar esses novos movimentos de customização e emancipação dos investidores. Ficando por dentro do assunto sobre a cripto economia é importante você saber agora o que o futuro reserva para você. Pensando nisso, irei apresentar as competências da terceira fase da educação financeira que irão te ajudar principalmente em futuros investimentos, empreendimentos, oportunidades de emprego, e tudo que envolve o futuro da nossa economia.

COMPETÊNCIAS DA TERCEIRA FASE DA EDUCAÇÃO FINANCEIRA

A partir das redes blockchain, das criptomoedas e demais ativos digitais, a nova educação financeira precisará abranger em seus conteúdos:

- O conceito de blockchain Bitcoin e altcoins

- O ecossistema de investimentos cripto, as Exchanges

- Tokens e criptomoedas

- Investimentos cripto x investimentos tradicionais, riscos dos investimentos cripto

- Estratégias de investimentos cripto, entre outros

Os conceitos anteriores da educação financeira, como o uso responsável do crédito e os investimentos em renda fixa e variável, sempre farão parte dos conteúdos educacionais. A nova educação financeira traz novos temas, essenciais ao mundo cada vez mais digital e a uma sociedade feita de relações customizadas e diretas em relação à forma como transaciona e aproxima seus diversos agentes.

CAPÍTULO 13

ANÁLISE TÉCNICA E GRÁFICA

O QUE É ESSA ANÁLISE?

A análise técnica aborda o estudo dos mercados financeiros, a fim de prever seu comportamento no futuro. Apesar de apresentar limitações, esta forma de estudo fundamenta-se no cartismo. É provavelmente a mais difundida hoje em dia devido à pseudodemocratização de suas ferramentas gráficas e à melhoria no acesso às informações em tempo real.

Dentro do mundo cripto, é um ramo de estudo usado para prever a direção futura dos preços estudando dados históricos do mercado. Para tanto, esta técnica faz uso de dados relativos a preços, volumes e contratos em aberto em um mercado.

Isso significa que analistas técnicos usam dados comerciais em conjunto com indicadores matemáticos para tomar suas decisões comerciais. Os resultados dessas fórmulas são automaticamente refletidos em um gráfico que é atualizado em tempo real, que irá interpretar os comerciantes para determinar quando comprar ou vender.

Graças à análise técnica é possível prever a direção das cotações, o que o tornou uma das principais ferramentas de previsão do comportamento dos mercados financeiros. O último é especialmente verdadeiro quando você combina análise técnica com análise fundamental. A união dos dois tipos de análise permite que os traders tenham uma avaliação mais completa da realidade do mercado. Graças a isso, os traders podem obter uma vantagem clara ao realizar negociações lucrativas.

DUALIDADE ENTRE ANÁLISE TÉCNICA E FUNDAMENTAL

Na pesquisa de mercado, as duas ferramentas de análise mais utilizadas são a análise técnica e a análise fundamental.

O objetivo da análise técnica é identificar tendências ou padrões, por meio deles, para permitir que os comerciantes tomem decisões de ação dentro de um mercado. Para isso, faz uso de uma série de ferramentas gráficas e matemáticas para prever essas tendências e tomar uma decisão.

E a ideia da análise fundamental é a de calcular o valor de um ativo a partir dos dados dos balanços desses ativos e comparando com o que se observa no mercado, buscando proporcionar ao trader a melhor visualização de um ativo e permitir que ele se posicione contra esse ativo.

O objetivo de ambas as ferramentas é o mesmo: oferecer uma ferramenta de análise de mercado para os traders de forma que eles tomem as melhores decisões possíveis em todos os momentos. Algo que sem dúvida, ambas as ferramentas fazem com sucesso.

OS PRINCÍPIOS DA ANÁLISE TÉCNICA

A análise técnica é um ramo de estudo usado para prever a direção futura dos preços estudando dados históricos do mercado. Para tanto, esta técnica faz uso de dados relativos a preços, volumes e contratos em aberto em um mercado.

Isso significa que analistas técnicos usam dados comerciais em conjunto com indicadores matemáticos para tomar suas decisões comerciais. O resultado dessas fórmulas é automaticamente refletido em um gráfico que é atualizado em tempo real, que irá interpretar os comerciantes para determinar quando comprar ou vender.

Graças à análise técnica é possível prever a direção das cotações, o que o tornou uma das principais ferramentas de previsão do comportamento dos mercados financeiros. O último é especialmente verdadeiro quando você combina análise técnica com análise fundamental. A união dos dois tipos de análise permite que os traders tenham uma avaliação mais completa da realidade do mercado, podendo obter uma vantagem clara ao realizar negociações lucrativas.

ORIGEM DA ANÁLISE TÉCNICA

A análise técnica teve origem nos Estados Unidos, no final do século XIX. Seu criador e principal expoente foi Charles Henry Dow, criador da Teoria Dow. Esta teoria ganhou grande impulso com Ralph Nelson Elliott dentro dos mercados de ações com sua Teoria de Elliott Wave, e posteriormente foi estendido para o mercado futuro. No entanto, seus princípios e ferramentas são aplicáveis ao estudo dos gráficos de qualquer instrumento financeiro.

A análise técnica pode ser subdividida em duas categorias:

- Análise gráfica ou análise de gráfico: analisa exclusivamente as informações reveladas nos gráficos de figuras principalmente geométricas, sem o uso de ferramentas adicionais.

- Análise técnica em sentido estrito: utiliza indicadores calculados com base nas diferentes variáveis, características do comportamento dos valores analisados.

Robert Rhea, um renomado pesquisador de mercado, explica de forma muito simples o que é uma análise técnica:

"As oscilações no preço das ações do Dow Jones de ferrovias e industriais são como um índice composto por todas as esperanças, decepções e conhecimentos de todos que sabem algo sobre questões financeiras, e por isso os efeitos dos acontecimentos futuros (excluindo atos de Deus) são sempre antecipados em seu movimento. Os índices avaliam rapidamente calamidades como incêndios e terremotos." Roberta Rhea – "The Dow Theory" – Nova York, 1933.

FERRAMENTAS DE ANÁLISE TÉCNICA

CANDLE CHART: Este é o tipo de gráfico mais amplamente usado para visualizar e analisar movimentos de preços ao longo do tempo para títulos, derivativos, moedas, ações, títulos, commodities etc. Eles também são conhecidos como gráficos de candlesticks. Os gráficos de velas exibem várias informações de preço, como o preço de abertura, o preço de fechamento, o preço mais alto e o preço mais baixo por meio do uso de símbolos semelhantes a velas.

Estes representam a atividade comercial comprimida por um único período de tempo (um minuto, hora, dia, mês etc.). Cada símbolo de vela é representado ao longo de uma escala de tempo no eixo x, para mostrar a atividade empresarial ao longo do tempo, enquanto o eixo y é usado para representar o preço. Eles são especialmente úteis devido à sua versatilidade e utilidade na detecção e previsão de tendências de mercado ao longo do tempo.

CHARTS: Os gráficos são uma representação gráfica usada para organizar as informações contidas em um mercado. Em geral, os mercados financeiro e de criptomoeda usam gráficos de barras ou gráficos de linhas para representar o fluxo ao vivo de um título dentro de um mercado. A razão por trás do uso dessas ferramentas gráficas é sintetizar a maior quantidade de informações em uma única caixa, permitindo um melhor entendimento das referidas informações.

Os gráficos costumam ser usados para facilitar a compreensão de grandes quantidades de dados e as relações entre partes dos dados. Isso é muito útil em um mercado financeiro onde as informações sobre o valor das ações mudam rapidamente e o fluxo de dados é constante.

INDICADORES

Os indicadores técnicos são ferramentas baseadas em estatísticas para determinar o comportamento futuro do mercado. Estas são as quatro categorias gerais de indicadores:

TENDÊNCIAS: esses indicadores são usados para detectar tendências nos mercados financeiros. Este grupo de indicadores é ineficiente para os períodos de equilíbrio (Flat) do mercado. Os indicadores de tendência indicam a direção do movimento dos preços.

ÍMPETO: é um indicador do tipo oscilador que mostra a evolução dos preços de um ativo e as variações que teve em um determinado período. Sua função é antecipar mudanças de tendência e ensinar a velocidade da mudança de preço. O exercício consiste em observar a diferença de preços entre o final do período atual e os dias anteriores.

VOLATILIDADE: esses indicadores analisam as mudanças nos preços de mercado durante um período específico de tempo. Quanto mais rápido os preços mudam, maior a volatilidade e, inversamente, quanto mais lento, menor a volatilidade.

Pode ser medido e calculado com base em preços históricos, bem como para identificar tendências.

VOLUME: servem para estudar o volume de um mercado, permitindo relacionar a evolução do volume com a variação do preço.

CONJUNTO DE DESENHO TÉCNICO

Outra ferramenta amplamente utilizada na análise técnica é o desenho técnico. O desenho técnico: é uma forma de desenhar que serve para trazer um grupo de dados para uma representação gráfica, a fim de transformá-los em uma representação gráfica descritiva.

Com isso, os traders buscam facilitar o entendimento e análise dos gráficos de mercado.

Essas ferramentas são amplamente utilizadas na análise técnica de gráficos, onde podemos vê-los representados em gráficos como o gráfico de linhas, o gráfico de barras e o gráfico de velas.

ANÁLISE TÉCNICA

VANTAGENS: Uma das principais vantagens desta ferramenta é a capacidade de identificar sinais de tendência de preços no mercado. Este é um fator chave em qualquer estratégia, durante a negociação. Graças a isso, os investidores podem desenvolver uma metodologia de sucesso, que visa localizar os pontos de entrada e saída do mercado.

Outra vantagem é que as ferramentas de análise técnica são muito comuns e fáceis de usar. Na verdade, são tão comuns que há quem acredite ter criado regras de funcionamento que se cumprem: quanto mais os investidores usam os mesmos indicadores para encontrar os níveis de suporte e resistência, mais haverá compradores e vendedores interessados nas mesmas faixas de preço e os padrões se repetirão inevitavelmente.

DESVANTAGENS: Uma das principais desvantagens desta ferramenta é que sempre haverá um elemento de comportamento do mercado que é imprevisível. Esta situação está intimamente ligada a teoria do passeio aleatório apresentada por Louis Bachelier em 1900. Esta teoria indica que "qualquer mudança ou evolução existente nos mercados financeiros não é mensurável e estimável devido à sua aleatoriedade e eficiência. Também aponta que não é possível fazer previsões confiáveis sobre o preço dos ativos apenas estudando sua evolução passada".

É por isso que não há garantia de que um tipo de análise seja 100% correto. Embora os padrões históricos de preços possam nos dar uma ideia da possível trajetória do preço de um ativo, isso não é uma garantia de que isso acontecerá.

Os investidores devem empregar vários indicadores e ferramentas de análise técnica para atingir o nível mais alto possível de segurança, e ter uma estratégia de gestão de risco em vigor para se proteger em tempos difíceis.

A ANÁLISE TÉCNICA É UMA OPÇÃO SEGURA PARA A TOMADA DE DECISÃO EM UM MERCADO?

A análise técnica não é uma ciência exata e, portanto, suas expressões não podem ser tomadas como uma reprodução do que vai acontecer dentro de um mercado. A análise técnica é uma ferramenta de apoio ao profissional para facilitar seu trabalho. Por isso, deve ser complementada por outros meios, como a análise fundamentalista, mas acima de tudo, com a experiência do trader.

USE A VOLATILIDADE A SEU FAVOR

Ativos de risco, como Bitcoin e ações de empresas devem ser utilizados na composição de uma carteira diversificada. Cabe ao investidor analisar seu perfil de risco, de forma a adequar a exposição necessária para cada classe de ativos.

A IMPORTÂNCIA DA ANÁLISE TÉCNICA

A análise técnica é uma ferramenta que oferece a vantagem de poder ser utilizada em qualquer instrumento financeiro a qualquer momento. Isso permite sua aplicação em qualquer área do mercado financeiro. É precisamente essa versatilidade que o torna uma ferramenta tão poderosa.

Basta utilizá-lo para se adaptar às características e comportamentos específicos de cada mercado. Além disso, a análise técnica pode ser utilizada em qualquer gráfico, independente do tempo a ser medido. Ou seja, pode ser analisado a curto, médio ou longo prazo. Essas características tornam a análise técnica uma ferramenta facilmente adaptável às necessidades de analistas financeiros e traders.

OS PRINCIPAIS INDICADORES

Não existe um indicador melhor ou mais forte que outro, isto depende do momento de cada ativo, além da configuração (setup) definida por seu usuário. No entanto, devemos reconhecer que dentre os mais utilizados encontram-se as Médias Móveis Simples, Bandas de Bollinger, e Índice de Força Relativa (IFR).

MÉDIAS MÓVEIS SIMPLES: este indicador calcula a cotação média em determinado número de períodos, relativo à barra do gráfico em questão. Se estivermos analisando um gráfico diário, e selecionarmos vinte períodos na média móvel, a linha a ser traçada irá refletir sempre a média dos vinte dias anteriores.

Não existe uma regra de uso para gráficos de quinze minutos, diários ou mensais. Cada trader deverá encontrar uma configuração (setup) que seja adequada ao ativo em questão.

De qualquer maneira, os períodos mais utilizados são vinte, cinquenta e cem dias.

Alguns traders utilizam este indicador para buscar continuidade nos movimentos, enquanto outros esperam uma reversão de tendência através do rompimento, o ponto que a linha de preço cruza com a média móvel.

BANDAS DE BOLLINGER: Ao estabelecer um certo número de desvios-padrão acima e abaixo da média móvel, é possível traçar um canal, que ficou conhecido por conta de seu criador, John Bollinger. Criado na década de 80, segue como um dos principais indicadores utilizados na análise técnica.

Perceba como há uma média móvel, a linha amarela, que serve como referência para estas bandas superiores e inferiores. Quanto maior a volatilidade, ou seja, a força das oscilações passadas, mais larga será essa banda.

Este indicador é muito utilizado para tentar encontrar sinais de força, quando está oscilando na banda superior, e até mesmo exagero, quando o gráfico rompe para cima. O oposto ocorre na banda inferior, sinalizando fraqueza.

Curiosamente, seu criador, John Bollinger, segue ativo, tendo inclusive realizado algumas análises de criptomoedas em suas redes sociais.

ÍNDICE DE FORÇA RELATIVA (IFR): este indicador é projetado na escala entre 0 e 100, e compara a cotação média dos dias de alta com os dias de queda. Valores acima de setenta indicam sobre compra, ou seja, potencial fim do movimento de alta. O oposto ocorre quando este indicador atinge patamares abaixo de trinta.

OUTROS INDICADORES E PADRÕES GRÁFICOS: A análise técnica está em constante evolução, pois conforme avançam os mecanismos para detectar padrões, surgem algoritmos inteligentes capazes de ocultar o envio de grandes ordens.

Há uma infinidade de indicadores que vão variar o grau de acerto conforme o momento do mercado e a configuração (setup) definido por cada usuário.

Conforme mencionado, não existe um indicador melhor ou um número fixo de períodos no qual se obtém melhores resultados. A análise gráfica, por exemplo, busca algumas figuras mais conhecidas, que podem indicar continuidade ou reversão, dependendo da situação do mercado.

A ANÁLISE GRÁFICA

Você costuma ver o gráfico, mas ainda não utiliza esses dados com frequência para uma tomada de decisão? Embora complexo, o gráfico pode ser aplicado de forma simplificada no cotidiano a partir do uso de algumas técnicas.

Em suma, o conhecimento de indicadores é essencial para dar embasamento nas suas operações na Bolsa de Valores.

Ao mesmo tempo, você não precisa dominar todas as informações da análise gráfica, até porque existe uma infinidade de estratégias e ferramentas.

A análise gráfica são estudos de projeções e tendências dos ativos. Geralmente, os preços dos ativos são reflexos de comportamentos anteriores do papel, tais como:

- Volume de negociação

- Riscos

- Liquidez

- Notícias

Portanto, uma das funções da análise gráfica é justamente rastrear e ilustrar esses "indícios" que poderão determinar o preço de um ativo.

Saiba que o mercado costuma respeitar topos e fundos. Por essa razão, vale entender no gráfico quais são os preços-alvo de suporte e resistência. E quando ocorre de um papel romper o suporte ou resistência, pode ser uma confirmação de tendência. Neste caso, a análise gráfica serviu para mapear o ativo.

Dentro da análise técnica existem diversas ferramentas que auxiliam na identificação e mensuração dessas projeções e tendências. Juntas, essas técnicas poderão se complementar, trazendo informações mais precisas sobre determinados ativos do pregão.

ANÁLISE FUNDAMENTALISTA

A análise fundamentalista é a análise da situação financeira, econômica e mercadológica de uma empresa, um setor ou dado econômico, uma commodity ou uma moeda e suas expectativas e projeções para o futuro.

Então, dentro deste tema, irei abordar alguns fundamentos importantes que contribuem para a análise gráfica, e técnica também que é o candle.

O candle é o termômetro de um gráfico que, mais conhecido que seja, precisa ser bem aproveitado no gráfico, afinal essa ferramenta te dá diversas informações valiosas sobre o ativo.

Os movimentos da Bolsa e seus ativos são desenhados pelo candle. Imagine aquela pessoa que abriu o gráfico no início da tarde e quer saber o que aconteceu com um ativo pela manhã.

A performance do candle dará uma leitura visual rápida e fácil do histórico do papel naquele dia.

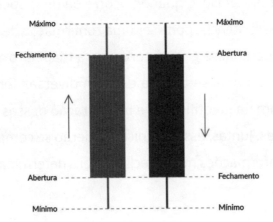

TRADUZINDO UM CANDLE

Você sabe explicar por que às vezes um candle aparece pequeno ou aparece como uma vela comprida no gráfico?

Vou te explicar detalhadamente o que representa um determinado candle em um período do ativo:

- **CANDLE VERDE:** informa que o papel fechou em alta;

- **BASE DO CANDLE VERDE:** diz quanto custava o ativo no momento;

- **TETO DO CANDLE VERDE:** diz quanto custava o ativo no momento do fechamento;

- **CANDLE VERMELHO:** informa que o papel fechou em baixa;

- **BASE DO CANDLE VERMELHO:** diz quanto custava o ativo no momento do fechamento;

- **TETO DO CANDLE VERMELHO:** diz quanto custava o ativo no momento da abertura;

- 🐘 **Os fios:** aparecem sob e sobre o candle indicando a mínima e a máxima, respectivamente, que o ativo alcançou durante o período selecionado;

- 🐘 **Candles que quase não formaram velas:** sinal de que os preços da abertura e do fechamento naquele período foram praticamente iguais aos de candles que quase não formaram velas, mas que apresentam fios compridos em cima e embaixo – sinais de que os preços da abertura e do fechamento naquele período foram praticamente iguais. No entanto, seus preços variaram bastante, com altas e baixas, durante o período selecionado.

A principal função do gráfico é auxiliar o investidor a identificar períodos de alta (bull), lateralização (flat) e queda (bear). Lembre-se que isto depende do período em questão e pode ser diferente conforme o horizonte

ALTA: Durante períodos de alta, também conhecidos como bull market, quedas não formam novas mínimas, apenas pequenas correções. Ao analisarmos um conjunto de vinte ou mais candles (velas), percebemos que há uma tendência de valorização. Isto independe se estamos analisando períodos de cinco minutos ou de um dia.

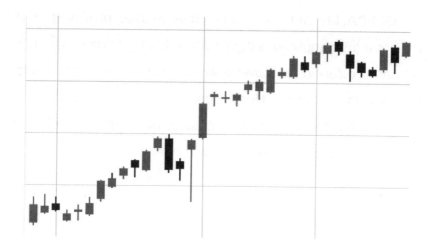

LATERALIZAÇÃO: Em determinados momentos, o mercado passa a operar sem tendência definida, conhecido como retângulo ou lateralização. Alguns investidores operam dentro destes canais, comprando no piso (suporte, patamar que ajuda a sustentar) e vendendo na resistência (teto, impondo dificuldade de romper). Há ainda quem utilize este rompimento do topo para comprar, apostando numa onda de alta.

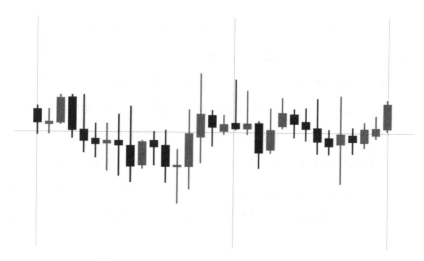

QUEDA: Mercado de baixa ou bear market, provavelmente um dos mais complicados de se operar. Muitos iniciantes tentam adivinhar o fundo do movimento ou, como dizem os experts, "pegar a faca caindo". Neste cenário, a melhor estratégia é realizar pequenas compras regulares de forma semanal ou mensal e aguardar a mudança de tendência.

Saiba também como aproveitar as tendências, repare no gráfico abaixo como havia um canal de baixa entre 30/Nov e 16/Dez de 2020, uma tendência de queda com range (faixa) definida. Traders que se baseiam na análise gráfica costumam realizar vendas quando o preço encontra a resistência (teto, impondo dificuldade de romper) destes canais de baixa. Em canais de alta o movimento é o oposto: realizam compras quando o gráfico encosta no piso (suporte, patamar que ajuda a sustentar).

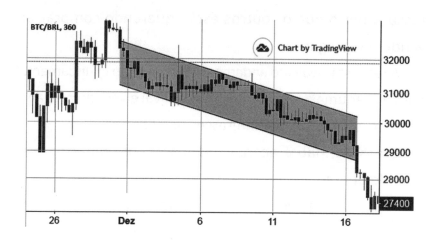

O BOOK DE OFERTAS

O Book de Ofertas é a listagem de todas as intenções registradas de compra e venda de um determinado papel no mercado financeiro. Esse livro de registro apresenta as ordens programadas de todo o pregão.

Existem três informações contidas nele:

- O preço da oferta

- A quantidade de ativos que alguém pretende comprar ou vender

- Quem está fazendo a oferta

Um investidor poderia perguntar: mas o que me interessa saber o que os outros estão querendo comprar ou vender no pregão?

A resposta: avaliar o andamento do mercado é fundamental para tomar uma decisão equilibrada. O vai e vem do pregão é pautado, sobretudo, por interesses de negócios.

Portanto, não é aconselhável somente olhar para si quando operar.

Imagine que grandes bancos ou corretoras registram ordens de compra caso uma ação alcance R$ 30,20. O papel custa R$ 30. Por outro lado, suponhamos que a quantidade de intenções de venda seja bem menor.

Esse panorama dado pelo book de ofertas não te dará a garantia de que o ativo vai mesmo subir. No entanto, a enorme quantidade de grandes investidores lançados com ordens de compra pode te dar um sinal de compra.

A listagem de ordens tem peso ainda maior para os day traders. O book te dirá se o mercado está com maior interesse em comprar ou vender. Se praticamente todo o mercado está voltado a vender, pode ser um grande sinal de que o ativo vai cair.

Importante frisar que seguir as tendências do book de oferta não é garantia de sucesso. Se fosse assim, bastaria emparelhar suas negociações com a listagem.

As informações do book de ofertas podem te dar maior visão do mercado sobre determinado ativo, controlando eventual ímpeto aventureiro.

VOLUME DE NEGOCIAÇÃO

O volume de negociação também é uma forma de deixar o investidor mais inteirado do que está ocorrendo no pregão. Essa técnica informa as negociações de compra e venda realizadas no mercado em determinado momento.

Por que vale acompanhar? Um movimento anormal de compra ou venda de um ativo pode ser gatilho de entrada ou saída em uma operação.

Se o "mundo todo" decidiu comprar um papel, o gráfico do volume irá lá para cima. Quando isso acontece, a tendência é o preço do ativo subir, e vice-versa.

Bandas de Bollinger ajudam a acompanhar volatilidade.

Outra informação importante dada pelo volume de negociação é se o ativo está tendo boa liquidez. Quem nunca quis se desfazer de um papel, mas não encontrou ninguém interessado em comprar?

Com a utilização da ferramenta de volume de negócio, a partir de um período selecionado no gráfico, você terá uma visão global se a quantidade de negócios do papel aumentou, diminuiu ou ficou na mesma.

Em tempos de covid-19, o conceito de média móvel ficou bem claro. Essa ferramenta faz uma média de um determinado período selecionado. O intuito é facilitar a visualização da variação.

Com o gráfico da bolsa funciona da mesma forma. O interessante neste gráfico é que você pode selecionar vários períodos diferentes. Muitos investidores costumam usar três médias móveis ao mesmo tempo:

- Uma de curto período

- Uma de médio período

- Uma de longo período

A presença de linhas móveis deixará mais claro como o preço de um ativo varia conforme o tempo.

Pense na seguinte situação: você selecionou três médias móveis (uma de curto período, uma de médio e outra linha de longo período).

Imagine que o ativo estava em queda contínua. Com isso, as três linhas estão na decrescente. De repente, o papel engata uma subida forte, e a linha da média móvel de período curto cruza as outras duas linhas.

Esse cruzamento de linhas ocorreu porque o movimento de alta já causa forte impacto na média móvel de curto período, mas essa subida ainda não causa tanto impacto nas linhas que medem médio e longo período.

Em outras palavras, pelo cruzamento da linha de média móvel curta em relação às outras já dá para saber que houve uma subida repentina do papel, que estava caindo.

As linhas móveis te deram um sinal de como o mercado está se comportando!

É possível escolher os períodos de cada linha. Vai de cada um essa escolha. Muitos traders usam linhas móveis 7, 14 e 21, que registram os últimos 7, 14 e 21 movimentos do papel.

INDICADORES IMPORTANTES

Há dois tipos de indicadores mais usados e importantes, que são o média móvel e o índice de força e é sobre eles que você vai aprender agora.

MÉDIA MÓVEL EXPONENCIAL

Neste caso, os últimos movimentos têm mais peso que os anteriores.

Por exemplo: média móvel exponencial 3 significa que o último movimento terá maior peso sobre o penúltimo, que, por sua vez, teve mais peso sobre o antepenúltimo.

A linha exponencial serve para dar mais ênfase aos impactos dos últimos movimentos de um ativo.

Vale sempre lembrar que o apontamento de uma tendência dada pela média móvel não é uma certeza de que o ativo vai se consolidar nesta direção.

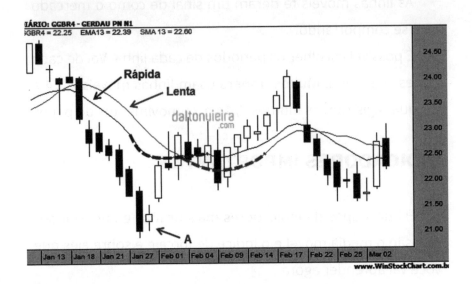

IFR (ÍNDICE DE FORÇA RELATIVA)

Essa ferramenta analisa se o papel está valorizado ou desvalorizado em relação ao preço médio projetado.

Com isso, quando o IFR apresentar porcentagem acima de 70%, temos uma sinalização de que o preço do papel estaria bem maior em relação ao seu preço médio. Sinal de valorização.

Muitos investidores entendem que o papel com IFR muito alto (acima de 70%) pode ser um indicativo de queda, afinal a tendência é que o ativo recupere seu preço médio.

Em contrapartida, quando o IFR estiver abaixo de 30%, a sinalização é que o ativo está bem desvalorizado. Uma vez lá embaixo, o papel não teria muito mais o que cair.

Para muitos grafistas, papel com IFR abaixo de 30% pode indicar operação de compra, pois o papel teria espaço para subir.

Nem todos trabalham com IFRs de 70% e 30%. Existem investidores que preferem usar como parâmetro IFRs de 80% e 20% para medir sobrecompra e sobrevenda, respectivamente.

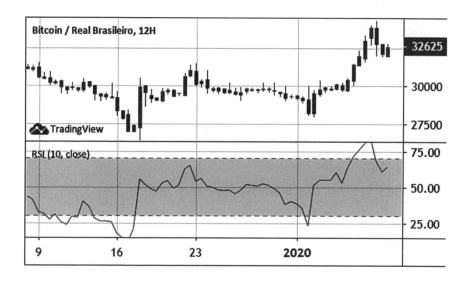

A FERRAMENTA DE ANÁLISE GRÁFICA FIBONACCI

O Fibonacci é uma das ferramentas mais conhecidas do gráfico e tem como objetivo indicar pontos de tensão de um determinado ativo.

Mas como assim?

A partir da seleção do suporte e resistência de um ativo, o Fibonacci se abre e indica três linhas horizontais entre o suporte (chão) e a resistência (teto).

Essas três linhas de dentro são os pontos de tensão. Ou seja, o Fibonacci entende que um ativo encontra mais dificuldade em romper essas tensões. E quando uma dessas linhas é rompida, seja para cima ou para baixo, pode sinalizar uma tendência.

A definição do posicionamento das linhas do Fibonacci tem uma explicação interessante. O criador do método Fibonacci é o matemático italiano Leonardo Pisano, que se acredita ter nascido no ano de 1170.

Após inúmeros cálculos, Pisano concluiu que diversos elementos da natureza possuem pontos de tensão nas mesmas regiões.

Ele citou a distância do ombro ao cotovelo e à ponta do dedo; a quantidade e disposição dos galhos de árvores.

O matemático analisou que diversos elementos respeitam uma sequência natural. Esse estudo de ponto de tensão foi levado para o mercado financeiro.

As cinco retas que compõem o Fibonacci clássico são:

- 🐘 **1ª reta** – Traçada na base (suporte) – 0%.

- 🐘 **2ª reta** – Traçada no nível 38,2%.

- 🐘 **3ª reta** – Traçada no nível 50%.

- 🐘 **4ª reta** – Traçada no nível 61,8%.

- 🐘 **5ª reta** – Traçada no topo (resistência) – 100%.

Vamos supor que o preço do ativo está lá no topo e começa a cair. Imagine que o preço encosta na quarta linha e volta a subir. Neste caso, o sinal é que não houve tendência de queda, mas sim uma retração. Faça um exemplo na folha do seu livro. Identifique o topo e fundo de um papel e trace o Fibonacci. Veja se os ativos encontraram dificuldades em romper as linhas do fibo.

O uso de Fibonacci divide opiniões. Muitos grafistas entendem que quando há o rompimento de uma dessas linhas com uma "vela grande" (candle), é um bom sinal de confirmação de tendência.

Reitero: as ferramentas devem ser usadas para aprimorar uma decisão. Acreditar piamente no que a técnica sinaliza pode não ser o melhor caminho. A combinação de ferramentas pode trazer informações importantes para a operação na Bolsa.

CAPÍTULO 14

OS TERMOS TÉCNICOS

CONHEÇA OS TERMOS MAIS UTILIZADOS DO MUNDO CRIPTO

Se você gosta ou está buscando saber mais de Bitcoins e criptomoedas e está em constante evolução sobre este assunto, vai ficar superfeliz com o dicionário do mundo cripto completo que eu irei apresentar para você a seguir.

Fique por dentro de todos os termos que o mercado utiliza desde a criação das criptomoedas. Conheça as palavras, gírias e termos técnicos mais utilizados!

Confira abaixo o top 10 de palavras mais utilizadas no mundo das criptos e, por fim, algumas outras que separei para você no dicionário cripto.

AS PALAVRAS MAIS USADAS

1. VOLATILIDADE

Movimentos dos preços de um ativo. Se o valor do ativo sobe e desce com muita frequência, às vezes até de diferenças de preço grandes, diz-se que o ativo tem alta volatilidade.

2. TRADE

Operação de compra e venda de alguma criptomoeda. Quando você depositar cem reais, comprar X Bitcoin e depois vender, você está fazendo uma operação de trading.

3. MINERAÇÃO

É o ato de realizar cálculos matemáticos. Quando um computador realiza esse cálculo criptográfico ele recebe uma recompensa X Bitcoin. Dizemos que ele está minerando e permitindo que surjam mais Bitcoins. Até que o Bitcoin atinja seu limite.

4. BLOCKCHAIN

A blockchain, também conhecida por protocolo da confiança, é uma tecnologia de registro distribuído que visa a descentralização como medida de segurança. É como se fosse uma planilha de Excel em que todos podem ver, mas não podem alterar, só conseguem adicionar novas transações. É vista como a principal inovação tecnológica do Bitcoin, é a prova de todas as transações na rede. Registra e guarda todas as transações feitas na história do Bitcoin. E agora, a mais famosa criptomoeda:

5. BITCOIN

Iniciando com letra maiúscula, representa o protocolo criado por Satoshi Nakamoto, já com letra minúscula representa a unidade monetária do protocolo Bitcoin.

6. ALTCOIN

Nome dado às moedas alternativas ao Bitcoin. Exemplo: Litecoin, Dogecoin, Dash etc.

7. ATIVO

Se refere a qualquer coisa que forme os bens de uma pessoa. Por exemplo, se você tem R$ 3.000,00 na sua conta bancária, esses são os seus ativos nesse banco. No caso das criptomoedas, chamamos de "Ativos Digitais".

CAPÍTULO 15

O CRIPTONÁRIO

O QUE É?

Através do criptonário (dicionário cripto) você terá mais entendimento de muitas palavras usadas nesse ramo, além de ajudar em uma melhor interpretação sobre noticiários, avaliações, e pesquisas sobre criptomoedas.

Blockchain: A blockchain, também conhecida por protocolo da confiança, é uma tecnologia de registro distribuído que visa a descentralização como medida de segurança. É vista como a principal inovação tecnológica do Bitcoin visto que é a prova de todas as transações na rede. Registra e guarda todas as transações feitas na história do Bitcoin.

Carteira: Em inglês *wallet*, é onde o investidor pode guardar suas moedas digitais de forma mais segura até o momento de venda e/ou troca.

Exchange: Local utilizado para troca entre criptomoedas e outros ativos, por exemplo, trocar reais por Bitcoins. Exchanges de Bitcoins são utilizadas para trocar Bitcoin por moedas FIAT ou outras criptomoedas.

Liquidez: É a capacidade de comprar ou vender um ativo facilmente, mesmo em grandes quantidades.

Mineração: É o ato de realizar cálculos matemáticos. Quando um computador realiza esse cálculo criptográfico ele recebe uma recompensa, X Bitcoin. Dizemos que ele está minerando e permitindo que surjam mais Bitcoins.

Trade: Operação de compra e venda de alguma criptomoeda. Quando você depositar cem reais, comprar X Bitcoin e depois vender, você está fazendo uma operação de trading.

Volatilidade: Movimentos dos preços de um ativo. Se o valor do ativo sobe e desce com muita frequência, às vezes até de diferenças de preço grandes, diz-se que o ativo tem alta volatilidade.

Addy: Endereço de uma carteira de criptomoeda.

Altcoin: Nome dado às moedas alternativas ao Bitcoin. Exemplo: Litecoin, Dogecoin, Dash etc.

AML: Sigla de *Anti-Money Laundering*, em português: Antilavagem de Dinheiro. São técnicas utilizadas para barrar a lavagem de dinheiro, como receber dinheiro apenas via transferência bancária e do próprio titular da conta, como as exchanges brasileiras já fazem.

ASIC: Sigla de *Application Specific Integrated Circuit*, em português: Circuitos Integrado de Aplicação Específica. Chip criado especificamente para realizar uma tarefa, exemplo, no caso do Bitcoin, os ASICs foram criados para processar um hash SHA-256 e minerar Bitcoins.

ATH: O preço máximo que uma determinada criptomoeda já atingiu.

Ativos: Se refere a qualquer pertence que componha os bens de uma pessoa. Por exemplo, se você possui R$ 3.000,00 em sua conta bancária, esses são os seus ativos nesse banco. No caso das criptomoedas, chamamos de "Ativos Digitais".

ATM: *Automated Teller Machine*, que significa caixa Eletrônico. No caso do Bitcoin, às vezes são chamados de BTM, permite que os usuários façam compra e venda de Bitcoins, usando dinheiro físico ou cartões de débito.

Baleia: Detentora de grande parte de uma determinada moeda, a baleia é um usuário que centraliza a moeda controlando o preço dela.

Bear: "Urso". O *Bear* é o investidor que crê na queda do preço da criptomoeda a qualquer momento. Com isso, o Bear vende seus ativos antes que desvalorizem demais.

Bearish: É um comportamento agressivo do gráfico de cima para baixo (caracterizado por uma descida grande e uma subida curta).

Bid: O Bid é o preço mais alto que um determinado comprador está disposto a pagar naquela transação. Ele é o valor que os compradores oferecem para o ativo.

Bitcoin: Iniciando com letra minúscula, representa a unidade monetária do protocolo Bitcoin.

Bitcoin: Iniciando com letra maiúscula, representa o protocolo criado por Satoshi Nakamoto.

Block Explorer: Também conhecido como Blockchain Browser, é um site ou programa de computador que permite você visualizar as transações, endereços, blocos e qualquer informação de uma blockchain e de uma criptomoeda específica.

Blockchain: A blockchain, também conhecida por protocolo de confiança, é uma tecnologia de registro distribuído que visa a descentralização como medida de segurança. É vista como a principal inovação tecnológica do Bitcoin, visto que é a prova de todas as transações na rede. Registra e guarda todas as transações feitas na história do Bitcoin.

Blockchain.info: Empresa que oferece serviço de carteira e explorador de blocos, confundida com a cadeia de blocos do Bitcoin.

Bloco Genesis: O primeiro bloco do Bitcoin, minerado por Satoshi Nakamoto.

BTC: Abreviação da unidade monetária do Bitcoin.

Bull: Do inglês, significa "touro" e é exatamente o contrário do bear. O *bull* é o investidor que crê na evolução do preço da criptomoeda. Esse usuário aposta em comprar a moeda na baixa para fazer lucro quando o valor subir.

Bullish: É um comportamento agressivo do gráfico de baixo pra cima (caracterizado por uma subida grande e uma descida curta).

Candlestick: Candlestick é uma representação gráfica do preço de um ativo. Isso permite que seja possível visualizar os preços de abertura, alta, baixa e fechamento dentro de um período de tempo no gráfico.

Carteira: Em inglês, "wallet". É onde o investidor pode guardar suas moedas digitais de forma mais segura até o momento de venda e/ou troca.

Cold storage: Movimentação de criptomoedas offline, ou seja, armazenar as criptos em carteiras de papel.

CPU: *Central Processing Unit.* Em português, Unidade Central de Processamento, é o cérebro do computador. Onde a maior parte dos cálculos é feita.

Criptografia: A criptografia é um conjunto de codificações feitas para proteger uma informação de modo que apenas o emissor e o receptor possam compreender.

Criptomoeda: O termo criptomoeda é utilizado para referir-se a moedas digitais como por exemplo o Bitcoin, que usa constantemente a criptografia para vários fins. Um deles é garantir que todas as transações sejam feitas de forma 100% segura.

Custódia: O termo vem de custodiar, ou seja, possuir uma propriedade de ativos que tenha o seu controle. Ter sob custódia uma carteira ou ativos, também pode significar manter suas chaves privadas e em sigilo.

Cypherpunk: Cypherpunk é uma comunidade de defensores da privacidade e do anonimato online. Seu lema é *Cypherpunks write codes* (Cypherpunks escrevem códigos) e acreditam que aqueles que desejam privacidade devem ir buscá-la por conta própria em vez de esperar que os outros façam para si.

Day Trader: Trader que faz movimentações diárias, comprando e vendendo.

DDoS: *Distributed Denial of Service.* Em português, Ataque Distribuído de Negação de Serviços. Este ataque utiliza um grande número de computadores sob o controle de um atacante para enviar pequenas quantidades de tráfego pela internet com o objetivo de congestionar o acesso e drenar recursos de um servidor alvo.

Dump: Quando o preço de uma criptomoeda desce inesperadamente.

Dust transaction: Transação com uma pequena quantidade de Bitcoins, com baixo valor financeiro, mas que ocupa espaço na blockchain.

ETH: Símbolo ticker da criptomoeda Ethereum.

Escrow: Nome dado pelo ato de manter fundos em posse de terceiros, a fim de se proteger durante uma operação.

Ether: Unidade monetária do Ethereum, usada para pagar as taxas da sua blockchain.

Ethereum: É uma plataforma que permite a programação de aplicativos descentralizados, contratos inteligentes e transações da criptomoeda Ether e vários tokens.

Exchange: Local utilizado para troca entre criptomoedas e outros ativos, por exemplo, trocar reais por Bitcoin. Exchanges de Bitcoins são utilizadas para trocar Bitcoin por moedas FIAT ou outras criptomoedas.

Faucet: Sites que oferecem recompensas em Bitcoin a partir de cliques em propagandas ou realizar pequenas tarefas. Exemplo: responder pesquisas.

Fee: Refere-se a taxas, que podem ser de conversão, transferência, saques etc.

Fiat: É o dinheiro fiduciário, ou seja, aquele que não é criptomoeda, como o Real, Dólar, Euro, Lene etc.

FOMO: *Fear of missing out.* Em português, medo de perder uma oportunidade que pode gerar lucro.

Fork: Atualizações nos códigos de criptografia das moedas geram uma bifurcação, chamada de fork. Uma nova moeda gerada a partir de outra, como o Bitcoin Gold que é um fork do Bitcoin.

Full Node: É o programa que contém as regras de consenso da rede do Bitcoin e é uma cópia completa do Blockchain. Nem todo full node é minerador, mas todo minerador é um full node.

Gas: O termo gas se refere a um mecanismo que precifica na rede Ethereum. Ele calcula as taxas para executar uma transação ou executar uma operação de contrato inteligente.

GPU: *Graphical Processing Unit.* Em português, Unidade de Processamento Gráfico. Chip projetado para processar cálculos matemáticos complexos, necessário para rodar jogos e softwares que utilizam muitos recursos gráficos.

Halving: O halving do Bitcoin é uma característica que está encravada dentro do código da criptomoeda. Diferente dos sistemas monetários atuais nos quais os governos imprimem dinheiro sem parar, o Bitcoin reduz sua emissão a cada 4 anos.

Hash: É um algoritmo utilizado pelo protocolo do Bitcoin e de outras criptomoedas para transformar um grande número de informações em uma sequência numérica hexadecimal de tamanho fixo.

Hash rate: Número de hashes processados por um minerador em um determinado período de tempo.

HODL: É um meme, o correto seria *hold* – de "segurar" –, que é quando você mantém seus ativos, mesmo na baixa de preço, pois acredita que será valorizado futuramente.

Hot Wallet: É uma carteira de criptomoedas que está online e conectada com a Internet.

Hype: É uma palavra usada sempre que algo está na nova onda popular. Por exemplo: "O Bitcoin é a nova hype do momento".

ICO: *Initial Coin Offering*. Em português, Oferta Inicial de Moeda. É um sistema criado para arrecadar fundos para uma startup ou empresa. Normalmente elas surgem com "ideias revolucionárias ou únicas" que são aplicadas em cima de uma blockchain. Atenção: ICOs também podem ser Scams.

Input: Endereço de origem de uma transação Bitcoin. Uma única transação pode ter múltiplos endereços de origem.

Kilohashes/sec – kH/s: Número de tentativas possíveis de resolver um hash em um dado segundo, medido em milhares de hashes.

KYC: *Know Your Customer*. Em português, conheça seu cliente. São políticas que instituições governamentais impõem a empresas para conhecer com quem estão fazendo negócios, ou seja, possuem dados e documentos de seus clientes.

Lastro: É um ativo que tem como objetivo dar uma garantia. Ou seja, ele relaciona um ativo a princípio sem valor, com um algo que possua um valor implícito.

Ledger: O ledger é um registro compartilhado de informações, a exemplo um livro caixa de um banco, onde ficam registrados todas as transações financeiras, sua diferença é que seus registros não podem ser apagados. É um local onde ficam registradas as transações feitas por criptomoedas, que passam pela Blockchain.

Liquidez: É a capacidade de comprar ou vender um ativo facilmente, mesmo em grandes quantidades.

Maleabilidade: Habilidade de modificar transações não confirmadas sem fazê-las inválidas.

Maker: Um termo usado quando inclui uma ordem e ela não é negociada imediatamente, onde ela permanece no livro de ofertas e aguarda que outra pessoa envie uma ordem contrária para que ela seja executada.

Marketcap: Em português: capitalização de mercado. Quantidade de criptomoeda circulante X preço da cripto.

Megahashes/sec – MH/s: Número de tentativas possíveis de resolver um hash em um dado segundo, medido em milhões de hashes.

MicroBit – uBTC: Milionésima parte de 1 Bitcoin ou 0.000001 BTC.

MiliBit – mBTC: Milésima parte de 1 Bitcoin ou 0.001 BTC.

Mineração: É o ato de realizar cálculos matemáticos. Quando um computador realiza esse cálculo criptográfico ele recebe uma recompensa X Bitcoin. Dizemos que ele está minerando e permitindo que surja mais Bitcoin.

Mixer: Serviço utilizado para embaralhar input e output de transações, a fim de manter a privacidade e diminuir o nível de rastreamento.

Nó: Dispositivo conectado à rede Bitcoin que utiliza um programa de computador para transmitir transações para outros nós, criando uma rede descentralizada.

Ordem de compra/venda: Ordem de mercado que realizará aquela compra independente do preço que estiver.

Ordem de compra/venda: STOP-LIMIT: Você escolhe um preço e diz pro sistema que no momento em que a moeda atingir X dólares, você colocará uma ordem limitada de Y dólares.

Output: Endereço destino de uma transação Bitcoin. É possível que uma transação tenha múltiplos outputs.

P2P: Significa *peer-to-peer*. Em português, ponto-a-ponto. O Bitcoin foi projetado como um sistema *peer-to-peer*, ou seja, que não precisa de intermediários como bancos centrais para intermediar uma transação entre duas pessoas. No mercado, este termo é usado para descrever comercialização de criptomoedas entre duas partes, sem a necessidade de uma exchange.

Paper Wallet: É considerado um meio muito seguro de guardar suas criptomoedas, pois não corre tanto risco, justamente por ser offline. Não é necessário acesso à internet, ela é basicamente um pedaço de papel contendo suas chaves privadas e públicas.

Phishing: O phishing acontece quando o usuário clica ou baixa um arquivo falso que rouba algum tipo de informação.

Devido à popularização das criptomoedas, é cada vez mais comum a circulação de e-mails falsos, arquivos que modificam as configurações do roteador da vítima ou anúncios do Google para que a página fique em primeiro lugar.

Pool: Coleção de mineradores que se agrupam para minerar coletivamente um bloco, e depois dividir a recompensa entre eles. Pools de mineração são uma ótima maneira para aumentar a probabilidade de êxito conforme a dificuldade for aumentando.

PoW: É a prova de que uma transação foi validada e é legítima. Por meio de uma função matemática (a SHA-256), as transações são codificadas e enviadas para a rede, onde os mineradores competem entre si para decodificá-las.

Price Ask: Ele é o preço mínimo que um alguém estaria disposto a vender seu ativo.

Profit: Lucros obtidos.

Pump: Quando o preço de uma moeda sobe inesperadamente.

QR Code: Em português, código de barras bidimensional que pode ser convertido em texto, URL, número de telefone, geolocalização etc. É muito utilizado para codificar e facilitar a leitura de chaves privadas e endereços Bitcoin, por ser facilmente escaneado é muito usado em telefones celulares equipados com câmera.

Rekt: Não queira ser um rekt! O rekt é uma palavra em inglês escrita com erros de ortografia – o correto seria "wrecked", que significa "naufragado/ náufrago". É o investidor que perdeu tudo com a queda de um preço, arruinando seu patrimônio.

ROI: O retorno que se tem baseado no quanto você investiu.

Satoshi: Menor divisão de um Bitcoin = 0,00000001 BTC. Quando alguém fala que tem 10 Satoshis, significa que possui 0,00000010 BTC.

Satoshi Nakamoto: Pseudônimo usado para o criador do Bitcoin.

Scam: Gíria para golpes ou sites fraudulentos. São sites que surgem na internet prometendo altos rendimentos com investimentos em vários tipos de plataformas. Normalmente duram dias, meses ou, quando muito, anos até que sumam com o dinheiro de seus investidores sem deixar rastros.

Scamcoin: Altcoin criada com objetivos de dar golpe nos usuários e enriquecer os criadores.

Scrypt: Criptografia alternativa designada para ser mais utilizada por CPUs e GPUs, oferecendo uma resistência aos ASICs.

SEPA: *Single European Payments Area*. Em português, Área Única de Pagamentos Europeus, é um sistema de pagamento integrado entre os países da Zona do Euro, que permite transferir fundos entre bancos e países diferentes. A operação de transferência é semelhante ao TED/DOC que possuímos no Brasil, mas no caso da SEPA, engloba todos os países que utilizam Euro.

SHA-256: Função matemática do tipo hash utilizando o Bitcoin em diversos contextos, inclusive durante o processo de mineração.

ShitCoin: É o termo utilizado para classificar moedas scams, com baixa ou nenhuma reputação na comunidade.

Smart Contract: Um smart contract – também conhecido como contrato inteligente ou contrato digital – é um código de computador autoexecutável desenvolvido para facilitar, efetivar e proteger as operações financeiras no Blockchain.

Spread: Diferença entre o preço de compra e o preço de venda no livro de ofertas (book).

Soft Fork: Atualização de uma moeda que não exige que o sistema da mesma seja reiniciado com uma nova blockchain. Normalmente acontece sem que percebamos.

Swingtrader: Estratégia de trade com poucas operações ao longo do tempo. Se aproveita das ondas (swings) do mercado.

Taker: Taker é o investidor que possui uma ordem que é instantaneamente executada pois encontra outra ordem contrária.

Tag Destination: A tag destination é um código atribuído a cada conta do XRP. É usada para identificar o destinatário da transação, como se fosse o número da sua residência quando é entregue uma encomenda.

Tempo de confirmação: É o tempo percorrido entre o momento em que uma transação é enviada à rede e o tempo em que é registrada em um bloco. Basicamente, é o tempo que um usuário precisa esperar até que sua transação seja confirmada na rede.

Terahashes/sec – TH/s: Número de tentativas possíveis de resolver um hash em um dado segundo, medido em trilhões de hashes (TH/s).

Testnet: Uma rede alternativa ao Bitcoin usada para testes.

Ticker: É o nome dado aos símbolos das moedas: BTC (Bitcoin), ETH (Ethereum), LTC (Litecoin), XRP (Ripple), ADA (Cardano).

Token: Normalmente os tokens são confundidos com criptomoedas, porém existem diferenças. As criptomoedas são moedas criadas com o propósito de serem moedas, já os tokens são criados para serem distribuídos a pessoas com promessas de valerem algo no futuro. Comparando ambos ao mercado convencional de investimentos, as criptomoedas poderiam ser moedas como USD ou EURO, já os Tokens seriam as ações de uma empresa.

TOR: Sigla de *The Onion Router*. Em português, o roteador cebola. É um protocolo de roteamento, usado por pessoas que querem manter sua privacidade na rede.

Trade: Operação de compra e venda de alguma criptomoeda. Quando você depositar cem reais, comprar X Bitcoin e depois vender, você está fazendo uma operação de trading.

TXID: Mais conhecido como hash da transação. É um identificador usado para referenciar transações em uma blockchain.

Volatilidade: Movimentos dos preços de um ativo. Se o valor do ativo sobe e desce com muita frequência, às vezes até de diferenças de preço grandes, diz-se que o ativo tem alta volatilidade.

Wallet: Em português "carteira". É onde o investidor pode guardar suas moedas digitais de forma mais segura até o momento de venda e/ou troca.

Withdrawal: Retirada de algum valor, como um saque.

XBT: Representa a unidade monetária do Bitcoin.

XRP: Símbolo ticker da criptomoeda Ripple.

Essas são as palavras mais usadas no mundo cripto. Agora você está ainda mais preparado para entender mais sobre esse mercado.

CAPÍTULO 16

OPERAÇÕES

AS OPERAÇÕES DE BITCOIN E CRIPTOMOEDAS

O Bitcoin e outras moedas virtuais caíram no gosto de investidores e de muitos empresários. Com a elevada demanda, a mais famosa criptomoeda bateu recorde em 2021, ao atingir o patamar de 60 mil dólares. No entanto, o cerco às moedas virtuais, especialmente na China, e as preocupações ambientais levaram o Bitcoin a quedas históricas logo depois.

Afinal, como funciona a chamada "mineração" das criptomoedas? Esse processo tem dois objetivos. O primeiro é gerar novos Bitcoins e garantir sua justa distribuição. O segundo é confirmar transações na moeda e as registrar numa espécie de "livro de contabilidade virtual", representado pela tecnologia blockchain.

Veja abaixo como a mineração funciona:

1. EQUAÇÕES

A criação de novos Bitcoins é obtida por meio de equações altamente complicadas resolvidas por supercomputadores em milésimos de segundo, ligados por uma rede paralela na internet.

2. COMPETIÇÃO

De dez em dez minutos, novas equações matemáticas são propostas aos supercomputadores, que tentam decodificá-las. O primeiro que as resolver recebe um lote de 6,25 Bitcoins.

3. ORGANIZAÇÃO

A resposta das equações (conhecida como hash, ou prova de trabalho) serve para organizar as "entradas" do livro de contabilidade (blockchain), ordenando os blocos de transações de dinheiro digital e conferindo a eles uma característica única, que impede códigos maliciosos (malwares) de fraudarem a operação.

4. DISTRIBUIÇÃO

Com todos esses cuidados, o minerador garante a continuidade do processo de geração de Bitcoins, e inclusive recebe taxas pagas pelos usuários ao validar uma mineração.

5. 24 HORAS POR DIA

A mineração de criptomoedas acontece *no stop*, 24 horas por dia. Por isso, consome altíssimo nível de energia, justamente pelo uso de supercomputadores, que exigem alimentação constante.

6. GASTO DE ENERGIA COLOSSAL

Segundo dados da Universidade de Cambridge, no Reino Unido, anualmente o gasto com a mineração virtual já está em 113 TeraWatts/hora (TW/h). Neste ano, os mineradores de Bitcoin devem gastar cerca de 130 TW/h de energia elétrica ou 0,6% do consumo de energia elétrica no planeta.

7. ESFORÇO COLETIVO

O gasto de energia só aumenta porque, para correrem atrás de novos lotes de Bitcoin, os mineradores se organizam em grupos, incrementando o poder computacional da busca, e dividem o resultado quando um deles obtém primeiro o lote da mineração.

8. CHINA, O CENTRO

De acordo com Cambridge, hoje, a maioria dos mineradores de Bitcoin está na China (65%), mesmo com as recentes restrições à prática anunciada pelo governo de Pequim. E só 39% dos mineradores no mundo usam recursos de energia sustentável e renovável para o processo, de modo que isso vai contra os preceitos de uma economia verde.

9. MUITO DINHEIRO

Só nos últimos meses, a mineração de Bitcoins faturou US$ 1,7 bilhão, ou US$ 56,7 milhões por dia, segundo o site da Bolsa eletrônica Nasdaq.

ARBITRAGEM CRIPTO

A arbitragem de Bitcoin e de criptomoedas é a ação de comprar e vender ativos digitais por preços diferentes entre plataformas. De forma bem simples, você compra Bitcoin em uma corretora e vende mais caro em outra, obtendo uma margem de lucro nessa operação. Aos poucos esse tipo de negociação se tornou uma forma de ganhar dinheiro com as criptomoedas de um jeito mais consistente do que com outras estratégias de trading. Essa atividade pode ser realizada em diferentes tipos de ativos, incluindo as moedas fiduciárias, mas a volatilidade do criptomercado torna a arbitragem no setor ainda mais chamativa.

Na teoria a arbitragem funciona de forma muito simples. Basta procurar o valor mais baixo de um ativo como Bitcoin ou uma Altcoin em uma corretora, depois procure onde esse ativo está sendo cotado por um preço maior e faça a venda.

Diferente dos ativos tradicionais, o criptomercado não possui um intermediário e cada livro de oferta tem um ecossistema próprio e descentralizado. Isso permite uma maior possibilidade de opções entre exchanges, até mesmo de fora do país.

No entanto, como é de se imaginar, é necessário muito estudo para conseguir atuar eficientemente com essa estratégia, já que é um mercado de alto risco.

No criptomercado, a arbitragem pode ser feita entre o próprio Bitcoin, explorando as variações de preço entre livros de ofertas ou entre criptomoedas explorando a valorização individual de cada uma.

A melhor forma de explicarmos como funciona a arbitragem de Bitcoin é com um exemplo prático: imagine que você comprou 1 BTC na Coinext pela cotação de R$ 59.594,86 depois você transferiu e vendeu esse valor no Mercado Bitcoin por R$59.975,23.

Nessa operação foi possível obter um lucro de R$ 381,00 com a arbitragem de Bitcoin. Claro, vale notar que estamos ignorando as taxas e outros fatores (como tempo de confirmação da compra em relação a oscilação do mercado) para fins de tornar o exemplo mais didático.

A arbitragem do Bitcoin especificamente é, na maioria das vezes, feita em relação à moeda fiduciária. Ou seja, sempre pensando em vender e comprar com a Fiat como ponto de partida e resultado final, sempre procurando o melhor preço entre as corretoras.

Já com as altcoins há uma camada a mais que é interessante de ser explorada, já que a arbitragem pode ser feita em relação ao preço do Bitcoin e não diretamente com a moeda fiduciária.

A arbitragem de altcoins traz a vantagem de que todas as operações podem ser realizadas dentro de uma única plataforma, entre os diferentes livros de oferta disponíveis com o par em outras criptomoedas.

Geralmente o Bitcoin é o par favorito dos traders de arbitragem de altcoins, mas o ETH ou até mesmo o USDT costumam ser utilizados. Isso facilita a negociação e diminui as quantidades de taxas que devem ser pagas em cada negociação. Além disso, a arbitragem de altcoins pode ser feita com facilidade em plataformas internacionais. O "ponto fraco" desse tipo de negociação fica por conta de uma necessidade maior de estudo e de atenção ao mercado, já que muitas moedas estarão envolvidas no seu trading.

É possível sim lucrar com a arbitragem, até mesmo em 2020. Quanto mais volátil o mercado, melhor são as possibilidades de lucro, mas até mesmo em períodos mais calmos é possível manter ganhos consistentes.

Mas é mais do que fundamental ressaltar que o lucro só é possível com dedicação para estudar e compreender o mercado como um todo e as suas muitas características. No fim das contas, o lucro com arbitragem pode ser alcançado ao criar uma estratégia de onde comprar e vender, cálculo de margem entre as operações e a avaliação das taxas envolvidas.

O primeiro e mais importante passo é escolher onde você vai comprar a criptomoeda e depois onde você vai vender. Mas você precisa lembrar que cada corretora atua de forma diferente, com tempo para confirmação de depósito distintos, além de prazos para transferências.

Esses são fatores importantes, já que podem mudar o resultado da negociação em um determinado período de oscilação. Obviamente as taxas são determinantes na hora de escolher o local de compra e venda.

As corretoras possuem taxas para operações ou para saques e depósitos. Esses valores cobrados para a manutenção geral da plataforma são uma importante métrica para escolher onde comprar e vender.

Na hora de calcular qual será a sua margem de ganhos as taxas precisam ser consideradas, já que podem acabar eliminando o lucro real. Se você tiver que pagar uma taxa para depositar o dinheiro, outra para sacar os Bitcoins, depois mais uma para depositar Bitcoins e uma última para saber a moeda fiat, pode ser que o trade acabe dando prejuízo.

Pesquise sempre com bastante atenção sobre as taxas para conseguir o melhor resultado final com o seu trading.

A margem é o cálculo de lucro que você terá entre a operação de venda de um mercado para outro. Também chamado de spread, esse é um cálculo relativamente simples de ser feito, levando em consideração o preço de entrada do seu investimento e o preço na corretora de venda.

Mas essa margem precisa levar em consideração também o tempo para a conclusão da venda. O ideal é sempre procurar pelo maior spread positivo, com o menor valor pago e o maior valor recebido.

Pode até parecer simples, mas a arbitragem exige bastante dedicação e estudo. Mas e se toda essa negociação pudesse ser feita automaticamente? Isso é o que algumas soluções chamadas de "bots de trading" ou "robôs de arbitragem" prometem para os investidores. Eles são conectados diretamente a sua conta em uma corretora através de APIs (Interface de Programação de Aplicações) e podem realizar operações de venda e compras seguindo uma estratégia previamente definida.

Os robôs operam 24 horas por dia, já que não precisam descansar, por isso eles podem operar continuamente gerando lucro em spreads pequenos, mas que acabam sendo rentáveis durante o período de um dia, por exemplo.

Outra vantagem teórica dos robôs é que eles não são influenciados pelos sentimentos ou pressão de venda, o que os tornam mais consistentes durante um determinado período. Mas aí vem a grande dúvida, será que esses robôs apresentam a eficiência necessária?

Os robôs já provaram ser uma estratégia eficiente de arbitragem em diferentes mercados, mas há um detalhe muito importante: os robôs que se mostram eficientes são aqueles programados de forma individual, ou que são vendidos para traders experientes!

Entre 2017 e 2019 surgiram alguns robôs de arbitragem simplificados, onde você colocava seu dinheiro em uma plataforma e o bot deles realizava as operações, aumentando o seu capital. No entanto, essas plataformas acabaram se mostrando duvidosas, e atualmente enfrentam problemas de insolvência.

Também há muitos robôs falsos, que prometem ganhos, mas são apenas uma fachada para um golpe. Entre esses, temos nomes conhecidos como Bitcoin Revolution, Bitcoin Evolution, Bitcoin Loophole e muitos outros.

Isso deixa os bots de arbitragem em uma área cinza, já que é preciso pesquisar muito sobre a seriedade e a equipe por trás do robô que você decidir investir.

Caso você tenha uma forma de realizar a arbitragem de criptomoedas de forma segura, seja através de um robô ou pessoal, ainda existem alguns riscos a serem considerados. O principal deles está justamente na volatilidade do mercado, que pode fazer você perder dinheiro entre a operação de compra e venda.

O segredo da arbitragem é o mesmo de outras negociações, vender por um preço mais alto do que você comprou. Mas nem sempre é possível garantir isso no intervalo de tempo desejado. O trading de criptomoedas exige muito controle emocional, estudo e diferentes estratégias, já que os riscos são sempre presentes.

ARBITRAGEM TRIANGULAR

A arbitragem triangular destina-se à negociação de pares entre uma moeda e outras criptos. Para começar, é importante acompanhar as variações de preço dos pares em produtos, negociação, cripto-cripto da NovaDAX e calcular a diferença entre eles para buscar uma boa chance de arbitragem.

Por exemplo, em certo momento, comparando preços do par EOS/USDT (6,2783 USDT) e par EOS/ETH (0,02609790 ≈ 6,3300 USDT), descobrimos uma diferença de 0,0517 USDT.

USDT	BTC	ETH
Par	Último preço	Variação
BTC/USDT	7.680,00	-3,08%
ETH/USDT	242,55	-2,35%
EOS/USDT	6,2783	-7,41%
XRP/USDT	0,3981	-3,81%

USDT	BTC	**ETH**
Par	Último preço	Variação
EOS/ETH	0,02609790	-5,21%
XLM/ETH	0,000508	+0,00%
TRX/ETH	0,00014419	+3,60%
BTT/ETH	0,00000540	-3,27%

Com a diferença encontrada entre preços, falta o último passo para realizar a arbitragem – um par intermediário.

Par	Preço	Observação
EOS/USDT	US$ 6,2783	Preço baixo
EOS/ETH	0,0269790ETH=US$ 6,3300	Preço alto
ETH/USDT	US$ 242,55	Par intermediário

Podemos seguir os passos abaixo:

- Investimento inicial de 627,83 USDT, comprar 100 EOS (+100 EOS, -627,83USDT).

- Vender 100 EOS na negociação do par EOS/ETH (- 100 EOS,+2,609790 ETH).

- Vender 2,609790 ETH na negociação do par ETH/USDT (-2,609790 ETH, +633 USDT).

Nesse processo, as quantidades de EOS e ETH não mudaram, aliás houve ganho de 5,17 USDT, sem considerar as taxas de negociação.

Desde que haja diferença de preços, é possível negociar e lucrar dessa forma o dia inteiro.

A arbitragem triangular exige que as três ordens sejam executadas imediatamente, pelo qual é importante escolher pares de alta liquidez e menor spread. Por outro lado, precisamos levar em consideração o valor da taxa para garantir o maior ganho possível. Tudo se baseia numa ampla escolha de pares entre criptos.

Quanto mais liquidez tiver, menos tempo você precisa esperar. Uma alta liquidez significa que suas criptomoedas podem ser facilmente convertidas para fiat ou outras criptos. Spread é um índice essencial para medir liquidez. Quanto mais liquidez a exchange tiver, mais rápido sua ordem será executada.

TEMPO DE RECEBIMENTO

O tempo de recebimento de uma transferência pela plataforma de destino não pode ser determinado com exatidão, pois existem três fatores que influenciam neste quesito, são eles:

- **Confirmações na rede** – Em geral, as plataformas exigem um número de confirmações na rede da moeda transferida maior do que um para creditar sua transferência de forma segura.

- **Demanda da rede** – Caso a rede da moeda transferida tenha tido alguma instabilidade ou esteja passando por um momento de alta demanda, as transferências levarão mais tempo para serem processadas.

- **Tempo Médio de Fechamento** – Os blocos de negociações de cada moeda possuem diferentes tempos médios para serem fechados. Confira, a seguir, o tempo médio para fechamento do bloco de cada moeda negociada.

- **Taxa de saque** – PAXGold.

TRADE DE BITCOIN

Trade de Bitcoin é o nome dado para as transações de troca de qualquer moeda por Bitcoins. A operação acontece muito similarmente às operações de câmbio, ou seja, plataformas online, também conhecidas como exchanges, reúnem usuários que querem comprar e vender criptomoedas pela web.

Na prática, isso significa que dois usuários precisam chegar a um acordo de compra e venda de Bitcoins, no qual o preço negociado agrade os dois lados. Assim que isso acontece, a troca ocorre instantaneamente de maneira anônima.

Contudo, além do suporte tecnológico e intermediador nas transações, uma boa exchange oferece orientações relacionadas às negociações para os seus usuários. Há também um suporte estratégico.

Portanto, é aconselhável escolher uma empresa sólida e confiável para garantir a segurança e a legalidade do seu dinheiro.

Porém, como toda aplicação no mercado, o trade de Bitcoin exige conhecimento e estratégia a fim de definir um bom plano de ações e potencializar ao máximo as possibilidades de lucro.

Para participar do trade de Bitcoin é fundamental acompanhar com atenção os acontecimentos do mercado global.

Assim, você não só identifica boas possibilidades de ganhos, como também se previne contra possíveis perdas.

Outro ponto importante é entender a volatilidade do mercado. Diante das grandes variações pelas quais a moeda passa em um período relativamente curto de tempo, o ideal é se manter sempre alerta. Por fim, lembre-se que o Bitcoin trade é um mercado em que as possibilidades de ganhos são grandes. Entretanto, as perdas também podem ser proporcionalmente significativas.

Por isso, o indicado é desenvolver um bom gerenciamento de riscos. Ele deve ser capaz de identificar os perigos quando não for possível evitar as perdas e cuidar para que elas sejam as menores possíveis. Toda nova tecnologia que surge no mundo do Bitcoin afeta positivamente a sua cotação. Portanto, esteja ligado nas tendências que podem aparecer nos próximos anos.

A mídia também é muito capaz de influenciar as cotações do Bitcoin. Pois bem, as notícias ajudam a estimular a adesão de mais investidores para as plataformas e recursos para esse mundo.

Da mesma maneira, quando uma notícia não muito boa é divulgada, a sua cotação diminui.

Outro ponto importante para o trade de Bitcoin é quando o governo de um país define políticas relacionadas ao uso da moeda.

Obviamente, se as medidas são favoráveis, a sua cotação crescerá, caso contrário, ela pode cair.

QUANDO VENDER E COMPRAR BITCOIN

Muitos que conhecem o Bitcoin e passam a ter interesse em comprar a moeda, ainda nutrem dúvidas sobre qual o melhor dia e hora para fazer tal operação. Segundo alguns dados, há sim momentos em que pode ser mais interessante fazer a compra.

Existem inúmeras estratégias para se investir em criptomoedas, sendo a mineração uma delas. Quem não tem os equipamentos, contudo, acaba procurando comprar as moedas de alguém que já tenha. Seja através de P2P ou em corretoras, a compra de Bitcoin acaba sendo uma forma de obter moedas. Mas muitos acabam sendo seduzidos pela vontade de vender as moedas, arriscando-se na prática de day trade.

Dados da Skew mostram quais os melhores dias e horários para negociar Bitcoin.

Os fãs de longa data do Bitcoin, que já estudaram os fundamentos da moeda e confiam nela, acabam levando um lema importante em suas ações. Isso porque, para esses correligionários da moeda digital, sempre que são perguntados sobre o assunto, o melhor momento para comprar Bitcoin é agora.

No entanto, muitos não conseguem comprar Bitcoin e manter essas posses por muito tempo. Ou seja, acabam comprando e vendendo as moedas em curtos prazos, por vezes, em até minutos, ou horas. Essa prática, que também é comum em bolsas de valores, é chamada de day trade.

Mas quando comprar e vender Bitcoin em curto prazo e não registrar prejuízos? De acordo com a Skew, os melhores dias para comprar Bitcoin é nas segundas-feiras e quartas-feiras. Nestes dias, os traders podem obter um retorno, no mercado à vista (spot), de até 0,05% em média. Os horários em ambos os dias são das 0 e 11 horas da manhã, e entre 18 e 19 horas, podem obter em média um retorno de 0,10%. Esses horários são para negociantes no Brasil, no fuso horário de Brasília.

O que chama atenção é que uma hora após os melhores horários também costumam render boas entradas para os day traders. Cabe o destaque, que não há uma fórmula mágica para negociar Bitcoin, que é conhecido como uma moeda volátil no mercado.

Além disso, a prática conhecida como day trade é de grande risco. Dessa forma, é interessante que os negociantes entendam sobre o Bitcoin antes de comprar, priorizando talvez investimentos de longo prazo.

Se os melhores dias e horários já foram apresentados, você deve estar pensando quais são os piores momentos de entrar em uma operação neste mercado. Desse modo, a Skew também apresentou que o pior dia para comprar Bitcoin é no domingo, que, em média, deu prejuízo para os investidores.

Já em relação à hora de comprar Bitcoin, os piores momentos são entre 23 horas e 00:00 no Brasil. O segundo pior momento seria entre 1 e 2 da manhã, que poderia ser outro momento que em média tem dado prejuízo para investidores.

A NOVA LEGISLAÇÃO DO ESTADO NO MUNDO CRIPTO

Não é novidade que o Estado está o tempo todo buscando novas brechas para arrecadar ou fiscalizar legalmente impostos da população, bens, entre outros direitos privados do cidadão. Mesmo todo cidadão tendo em mente que muitas vezes esse monitoramento de informação excessivo não é algo tão confortável e positivo para a privacidade de cada indivíduo, é dessa forma que a nossa sociedade e sistema funcionam.

Como se já era de se esperar, no Brasil houve a primeira ação do Estado nesse sentido. Em agosto de 2021, pessoas físicas, jurídicas e corretoras que realizam operações com criptoativos tiveram que prestar informações à Receita Federal no Brasil, onde a mesma é uma entidade do governo que é responsável por arrecadar impostos no país e fiscalização de bens.

Mas isso não é uma novidade apenas em território nacional, pois a coleta de informações sobre operações com criptoativos tem se intensificado em vários países, segundo uma nota da entidade regulamentadora do Governo Federal do Brasil (Receita Federal): "Após a constatação de que grupos estariam se utilizando do sistema para cometer crimes como lavagem de dinheiro, sonegação e financiamento ao tráfico de armas e terrorismo. Como as transações em criptomoedas podem ser feitas à margem do sistema financeiro tradicional e em anonimato, quadrilhas estariam se aproveitando disso para praticar crimes. Um caso famoso ocorrido em 2017 foi o ataque cibernético a hospitais britânicos que impediu o uso dos computadores das instituições médicas. Para liberar o uso dos computadores, os hospitais foram forçados a pagar aos sequestradores virtuais um resgate utilizando criptomoedas, por serem mais difíceis de rastrear."

Segundo as novas tomadas de decisões do governo brasileiro, as operações realizadas em Exchanges domiciliadas no exterior e as operações realizadas entre as próprias pessoas físicas ou jurídicas sem intermédio de corretoras, serão reportadas pelas próprias pessoas físicas e jurídicas. Nestas hipóteses, as informações deverão ser prestadas sempre que o valor mensal das operações, isolado ou conjuntamente, ultrapassar R$ 30 mil.

E, para finalizar, esse posicionamento do Estado brasileiro, em nota foi afirmado que, "Dentre as informações de interesse, serão informadas a data da operação, o tipo de operação, os titulares da operação, os criptoativos usados na operação, a quantidade de criptoativos negociados, o valor da operação em reais e o valor das taxas de serviços cobradas para a execução da operação, em reais, quando houver. A instrução normativa também estipula o valor das multas para os casos de prestação de informações incorretas ou fora do prazo."

Certamente muitas mudanças estão por vir principalmente em relação a população sobre o interesse e investimentos em criptomoedas, mas isso é algo para um futuro próximo. E quem sabe até mesmo tema para um novo livro ou uma nova atualização futura do mesmo sobre esse assunto.

OS IMPOSTOS

As criptomoedas já eram declaradas seguindo a legislação e os valores mínimos. Mas no final de 2020, a Receita Federal criou três tipos de criptoativos para a declaração.

Até então, Bitcoin, outras criptomoedas e criptoativos não eram todas declaradas sob o código "99-outros" (Outros bens e direitos).

Todos os contribuintes brasileiros que até 31/12/2020, tinham criptomoedas ou criptoativos cujos valores de aquisição foram superiores a R$5 mil são obrigados a informar na declaração. Valores de aquisição inferiores a isso tornam a informação na declaração opcional. Porém, esse valor é válido por categoria de criptoativo. Por exemplo, se o contribuinte comprou R$5.500 em Bitcoin, mas R$1.900 em ether, será obrigado a informar apenas o Bitcoin, a outra criptomoeda é opcional porque não atingiu esse teto de R$5.000.

Uma das coisas que impediam até então o governo realizar essa fiscalização era a falta de códigos gerava muitas dúvidas sobre onde e como declarar os criptoativos, por parte do Estado. Mas isso mudou no começo do ano seguinte em 2021, quando os códigos foram divididos em três:

- 81 – Criptoativo Bitcoin (BTC)

- 82 – Outros criptoativos, do tipo moeda digital (altcoins, como Ether)

- 89 – Demais criptoativos (não considerados moedas digitais, mas classificados como security tokens)

Mas para além dos novos códigos, há outros detalhes que os contribuintes brasileiros terão que ficar atentos na hora da declaração, como o que eu irei te apresentar a seguir.

Todos os contribuintes que, até 31/12/2020, tinham criptomoedas ou criptoativos cujos valores de aquisição foram superiores a R$5 mil, são obrigados a informar na declaração. Valores de aquisição inferiores a isso tornam a informação na declaração opcional. Porém, esse valor é válido por categoria de criptoativo. Por exemplo, se o contribuinte comprou R$5.500 em Bitcoin, mas R$1.900 em ether, será obrigado a informar apenas o Bitcoin, a outra criptomoeda é opcional porque não atingiu esse teto de R$5.000.

Em relação à venda de criptomoedas, os ganhos de capital obtidos com negociação de criptoativos ou moedas virtuais, como os Bitcoins, são tributados sempre que as vendas totais ultrapassam trinta e cinco mil reais por mês. Sobre esse lucro, incidem as regras gerais de ganhos de capital.

O ganho de capital apurado nessas operações está sujeito à incidência do Imposto de Renda, com base nas seguintes alíquotas: Assim, se o contribuinte tiver lucro em operação de venda de criptomoedas, precisa fazer um guia de recolhimento Darf (código 4.600) e pagar o imposto até o último dia útil do mês seguinte ao da venda. Se tiver prejuízo, não é preciso pagar imposto, porém precisa informar a operação na declaração. O programa disponibilizado pela Receita Federal (GCAP) emite a guia para recolhimento.

Se o total das vendas de criptoativos ocorridos no mês for inferior a trinta e cinco mil reais, os eventuais ganhos serão isentos do Imposto de Renda.

Segundo a Receita, "os criptoativos não são considerados ativos mobiliários, nem moeda de curso legal nos termos do marco regulatório atual. Entretanto, podem ser equiparados a ativos financeiros sujeitos a ganho de capital e devem ser declarados pelo valor de aquisição na Ficha Bens e Direitos de acordo com os códigos específicos." O passo a passo para declarar é simples. Se o contribuinte auferir lucros que ultrapassem os trinta e cinco mil reais, no programa do Imposto de Renda 2021 deve clicar na ficha "Bens e direitos".

É nessa hora que os novos códigos vão aparecer. Para Bitcoin, o código é "81 – Cripto Ativo Bitcoin (BTC)"; se o contribuinte possuir Ether, Bitcoin cash, Litecoin, Ripple, entre outros, o código será o "82 – Outros criptoativos, do tipo moeda digital (altcoins)".

Já o código "89 – Demais criptoativos", o contribuinte vai usar para os demais criptoativos não considerados moedas digitais, mas classificados como security tokens, ou os chamados payment tokens. Depois no campo "discriminação", é preciso detalhar o tipo e a quantidade do ativo que o contribuinte possui, incluindo também o nome e o CNPJ da empresa ou corretora onde o ativo está custodiado.

Se o contribuinte tiver custódia própria, deverá informar o modelo de carteira digital usado.

"É importante ressaltar que o contribuinte deve informar sempre o valor de aquisição dos criptoativos e não o valor atual de mercado", lembra Soares. Por exemplo, se você comprou R$ 1.500 em Bitcoins em fevereiro de 2020 e em dezembro estava valendo R$ 5.000, o valor a ser informado é de R$ 1.500, de quando aconteceu a aquisição. "As valorizações e desvalorizações não devem ser consideradas na declaração", diz.

No caso dos contribuintes que tiveram lucros referentes a vendas mensais de valores inferiores a trinta e cinco mil reais, é preciso informar a movimentação na ficha "Rendimentos isentos e não tributáveis". O total de lucro no ano deve ser inserido por meio do código "05 – Ganho de capital na alienação de bem".

CONCLUSÃO

Se você parar para pensar, diversas pessoas não tinham ideia do que eram Bitcoins e criptomoedas ou de como funcionavam, até mesmo mal sabiam da supervalorização que poderiam obter em um espaço de tempo consideravelmente curto.

Então, neste livro busquei simplificar como as criptomoedas e o Bitcoin funcionam abordando conceitos simples do passado, presente e um futuro próximo da nossa economia e cenário de investimentos. E agora, já posso ser lembrado como o cara que te ensinou a entrar nesse mercado?

Eu acredito que está por vir um mundo de oportunidades bastante promissoras referente às criptomoedas e o poder que elas carregam com si. Não somente na velocidade de pagamentos, segurança, privacidade e controle financeiro, mas também, sem ficar refém das altas inflações que aconteceram e acontecem com o dinheiro que conhecemos.

O meu maior desejo é que você tenha absorvido todo o conhecimento passado nesta obra e que aplique em sua vida profissional e pessoal aumentando assim a sua "saúde" financeira.

Livros para mudar o mundo. O seu mundo.

Para conhecer os nossos próximos lançamentos
e títulos disponíveis, acesse:

🌐 www.**citadel**.com.br

f /**citadeleditora**

📷 @**citadeleditora**

🐦 @**citadeleditora**

▶ Citadel – Grupo Editorial

Para mais informações ou dúvidas sobre a obra,
entre em contato conosco por e-mail:

✉ contato@**citadel**.com.br